CASTALIA
DIDÁCTICA
4

RIMAS

D1416054

COLECCIÓN DIRIGIDA POR
PEDRO ÁLVAREZ DE MIRANDA

GUSTAVO ADOLFO BÉCQUER

RIMAS

EDICIÓN DE
MERCEDES ETREROS

CASTALIA
DIDÁCTICA

Consulte nuestra página web: http://www.castalia.es

 CASTALIA EDICIONES es un sello propiedad de edhasa

Oficinas en Barcelona:
Avda. Diagonal, 519-521
08029 Barcelona
Tel. 93 494 97 20
E-mail: info@edhasa.es

Oficinas en Madrid:
Castelló 24, 1º dcha.
28001 Madrid
Tel. 91 319 58 57
E-mail: castalia@castalia.es

Oficinas en Buenos Aires (Argentina):
Avda. Córdoba 744, 2º, unidad 6
C1054AAT Capital Federal
Tel. (11) 43 933 432
E-mail: info@edhasa.com.ar

Segunda edición

© de la edición: Mercedes Etreros
© de la presente edición: Edhasa (Castalia), 2011

www.edhasa.com

Ilustración de cubierta: Caspar David Friedrich: *Hombre y mujer contemplando la luna* (h.1824, detalle). National Staatliche Museen, Berlín.
Diseño gráfico: RQ

ISBN: 978-84-9740-378-8
Depósito Legal: M-43272-2011

Impreso en Top Printer plus
Impreso en España

SUMARIO

Año	Acontecimientos históricos	Vida cultural y artística
1836	Motín de sargentos en La Granja.	Espronceda, *El estudiante de Salamanca* (1.ª parte). García Gutiérrez, *El Trovador*.
1841		
1846	Matrimonios de la reina Isabel II y de la infanta Luisa.	Estébanez Calderón, *Escenas andaluzas*. Poe, *Cuentos*. Wagner, *Tannhäuser*.
1847	Comienzo de la segunda guerra carlista. Crisis europea. La India bajo dominio británico.	Marx-Engels, *Manifiesto comunista*. E. Bronte, *Cumbres borrascosas*. Thackeray, *La feria de las vanidades*.
1848	Revoluciones europeas. Insurrecciones obreras. Caída de Luis Felipe, y Segunda República de Francia.	Muerte de Chateaubriand.
1849	Fundación del Partido Democrático por los liberales.	Zorrilla, *Traidor, inconfeso y mártir*. Dickens, *David Copperfield*. Muere E. A. Poe.
1852	Napoleón III coronado Emperador en Francia.	Fernán Caballero, *Clemencia*. Trueba, *El libro de los cantares*. Dumas, *La dama de las camelias*. Leconte de Lisle, *Poemas antiguos*.
1853	Destierro de O'Donnell, Concha y Serrano.	Selgas, *El estío*. Campoamor, *Colón*. Barrantes, *Baladas españolas*. Verdi, *El trovador*.
1854	Pronunciamiento de Dulce y O'Donnell. Batalla de Vicálvaro. Protestas obreras en Barcelona. Espartero y O'Donnell en el poder. Confederación de Asociaciones Obreras en Barcelona. Comienza la guerra de Crimea.	Nicasio Gallego, *Obras poéticas*. Tamayo y Fernández Guerra, *La ricahembra*. Thoreau, *Walden*.

Vida y obra de Bécquer

Nace en Sevilla Gustavo Adolfo Domínguez Bastida.

Muere su padre, don José Domínguez Insausti.

Bécquer ingresa en San Telmo, internado para huérfanos de familias nobles sin recursos económicos.

Muere su madre. Es suprimida la institución de San Telmo. Bécquer va a vivir con su madrina, doña Manuela Monnehay.

En el Instituto de Segunda Enseñanza de Sevilla es alumno de don Francisco Rodríguez Zapata. Compone la *Oda a la muerte de don Alberto Lista*.

Publica algunos poemas en *El Regalo de Andalucía*.

Sigue estudios de pintura en el taller de su tío Joaquín, donde también trabajan sus hermanos Valeriano y Luciano. Escribe la *Oda a la señorita Lenona, en su partida*, fechada en 17 de septiembre.

Conoce a Julio Nombela.

Mantiene relaciones con su primera novia, Julia Cabrera. Compone, junto con Valeriano, el álbum de dibujos titulado *Contrastes* o *Álbum de la Revolución de Julio de 1854, por un Patriota*. Llega a Madrid el 1 de noviembre. Conoce a García Luna. Concibe la *Historia de los Templos de España*.

Año	Acontecimientos históricos	Vida cultural y artística
1855	Ruptura de relaciones con el Vaticano. Concordato de Austria.	Tamayo, *Locura de amor*. Whitman, *Hojas de hierba*. Baudelaire comienza *Flores del mal*. Muere Nerval.
1856		Flaubert, *Madame Bovary*. Hugo, *Las contemplaciones*. Muere Heine.
1857	Nace Alfonso XII. Se reanudan las relaciones con el Vaticano.	Rosalía de Castro, *La flor*. Muere Musset.
1858	Comienza el gobierno de O'Donnell. Primer telegrama de América a Europa con éxito.	Gogol, *Las almas muertas*. Wagner, *Sigfrido*.
1859	Guerra de África. Comienzo del Canal de Suez. Guerra de Italia.	Hugo, *La leyenda de los siglos*. Darwin, *El origen de las especies*.
1860	Conquista de Tetuán. Batalla de los Castillejos. Comienzo de la guerra de Secesión en los Estados Unidos de América.	Alarcón, *Diario de un testigo de la guerra de África*. Baudelaire, *Los paraísos artificiales*. Conciertos wagnerianos en París.
1861	Unidad italiana. Abraham Lincoln elegido presidente.	Ferrán, *La soledad*. Dostoievski, *La casa de los muertos*.
1862	Bismark nombrado Primer Ministro de Prusia.	Ruiz Aguilera, *Elegías*. Hugo, *Los miserables*. Baudelaire, *Los pequeños poemas en prosa*.
1863	O'Donnell fuera del poder. Ley de emancipación de los esclavos en los Estados Unidos.	Rosalía de Castro, *Cantares gallegos*. López de Ayala, *El nuevo don Juan*. Taine, *Historia de la literatura inglesa*. Manet, *El almuerzo en la hierba*. Muere Delacroix.

Vida y obra de Bécquer

Colabora en *El Porvenir*. Publica *A Quintana*. *Corona de oro (fantasía)*, en *La España Musical y Literaria*. Comienza la novela *Mal, muy mal, peor...*, que no llega a terminar. Publica el poema *Anacreóntica*. Viaja a Toledo.

Escribe con García Luna la comedia *La novia y el pantalón*. Conoce al poeta cubano Rodríguez Correa.

Primera entrega de la *Historia de los Templos de España*. Con García Luna escribe la zarzuela *La venta encantada*, en la que se encuentra la primera rima de Bécquer.

Quinta entrega de la *Historia de los Templos de España*, dedicada a San Juan de los Reyes. Contrae una enfermedad grave. Publica *El caudillo de las manos rojas*. Conoce a Julia Espín.

Publica dos artículos en *La Época*. Composición y estreno del sainete *Las distracciones*. Publica la rima XIII en *El Nene*.

Estreno de la obra *Tal para cual* y de la zarzuela *La cruz del valle*. Publica la rima XV y *La cruz del diablo*. Comienza a publicar, en *El Contemporáneo*, las *Cartas literarias a una mujer*. Asiste, con Valeriano, a las tertulias del maestro Espín. Conoce a Augusto Ferrán.

Publica las rimas XXIII, LXI y LXII. Escribe la reseña a *La Soledad*, de Ferrán. En *El Contemporáneo* aparecen las leyendas *La ajorca de oro*, *La Creación*, *El monte de las ánimas*, *Los ojos verdes* y *Maese Pérez el organista;* también la narración *¡Es raro!* Se casa con Casta Esteban.

Publica las leyendas *El rayo de luna*, *Creed en Dios*, *El Cristo de la Calavera*, y varias narraciones y artículos: *El muerto al hoyo*, *Los maniquíes*, *El carnaval*, *Una dama*, *El aderezo de esmeraldas*, *La nena*, *La belleza*, *Tres fechas*, *La Venta de los Gatos*. Dirige *La Gaceta Literaria* junto con don Felipe Villarino. Nace su hijo Gustavo Adolfo Gregorio.

En 1862 y 1863, respectivamente, se estrenan las zarzuelas *El nuevo Fígaro* y *Clara de Rosenberg*, adaptaciones de Bécquer y Rodríguez Correa, firmadas con el pseudónimo Adolfo Rodríguez. Publica la rima XXVII, y *La cueva de la mora*, *La promesa*, *La corza blanca*, *El beso*, *El gnomo;* también los trabajos *Las perlas*, *La pereza*, *La mujer a la moda*, *Un lance pesado*, *Entre sueños*, *Un boceto del natural*, *Teatro Real*, *Apólogo*, *La ridícula*.

Año	Acontecimientos históricos	Vida cultural y artística
1864	Se inaugura la línea completa del ferrocarril del Norte de España. Fundación de la Internacional. Reconocimiento del derecho de huelga en Francia. Guerra de Méjico.	Ruiz Aguilera, *Proverbios ejemplares*. Pereda, *Escenas montañesas*. Goncourt, *Germinie Lacerteux*. Tolstoi, *Guerra y paz*.
1865	Pronunciamiento de Prim. Comienzo de las rebeliones contra el gobierno. Último gabinete de O'Donnell. Fin de la guerra de Secesión. Asesinato de Lincoln.	Dr. Bernard, *Introducción al estudio de la medicina experimental*.
1866	Narváez en el poder, con González Bravo. Formación de la organización clandestina de trabajadores.	Palau, *Cantares*. Giner de los Ríos, *Estudios literarios*. Zola, *Therese Raquin*. Dostoievski, *Crimen y castigo*.
1867	Muerte de O'Donnell. Nacimiento del Ku-Klux-Klan.	Tamayo, *Un drama nuevo*. Marx, *El capital*. Muerte de Baudelaire.
1868	Muere Narváez. Segundo ministerio de González Bravo. Pronunciamiento en Cádiz del almirante Topete, con Prim y Serrano.	Trueba. *El libro de las montañas*. Wagner, *Los maestros cantores*.
1869	Constitución de 1869. Serrano regente, con Prim de Primer Ministro. Sublevaciones republicanas.	Flaubert, *La educación sentimental*. Verlaine, *Las fiestas galantes*. Daudet, *Cartas de mi molino*.
1870	Amadeo de Saboya rey de España: Monarquía Constitucional con gobiernos unionistas, progresistas y radicales. Asesinato de Prim. Guerra franco-alemana. Rockefeller funda la Standard Oil Company. Proclamación en Francia de la Tercera República (31 de diciembre).	Pérez Galdós, *La fontana de oro*.

Vida y obra de Bécquer

Estancia en Veruela con su familia desde fines de 1863. Comienzo de las *Cartas desde mi celda* para *El Contemporáneo*, donde publica varios artículos: *Haciendo tiempo, Los Campos Elíseos, El calor, La rosa de pasión, A la claridad de la luna*, y crónicas. Viaja a Bilbao y San Sebastián. Es nombrado censor de novelas por don Luis González Bravo, Ministro de Gobernación del Gabinete de Narváez.

Publica la rima XI. Cesa en el cargo de censor. Comienza las colaboraciones en *El Museo Universal*. Nace su segundo hijo. Valeriano es pensionado por Alcalá Galiano, Ministro de Fomento, para estudiar las costumbres y los trajes españoles.

Vuelve a ser censor de novelas (hasta 1868). Director literario de *El Museo Universal*, donde publica gran número de artículos y las rimas V, XI, XV, XXIV, II, XVI, LXIX y XXIII. En *La Patria* publica la rima LXIX.

Publica comentarios a los grabados de Valeriano en *El Museo Universal*, y la rima IX.

Tiene preparado el manuscrito de las *Rimas*, que entregó a González Bravo. Con él viaja a París. Se separa de Casta. Viaja a Toledo, donde vive durante un año y reconstruye las rimas en el *Libro de los gorriones*.

Frecuentes viajes a Madrid. Colaboraciones en *El Museo Universal*.

Se hace cargo de la dirección literaria de *La Ilustración de Madrid* (enero), donde publica múltiples artículos. Muerte de Valeriano (septiembre). Dirige el primer número de *El Entreacto*, donde publica la primera parte de su última obra, *Una tragedia y un ángel*. Entrega el *Libro de los gorriones* a Narciso Campillo. Muere en Madrid el día 22 de diciembre, a las diez de la mañana.

Introducción

La lírica española moderna, desde el último tercio del siglo XIX, tiene un referente imprescindible y esencial, la poesía de Gustavo Adolfo Bécquer, considerado tradicionalmente en los manuales de literatura como un «romántico rezagado» o un «epígono» del romanticismo español. Sin embargo, Bécquer es mucho más que eso para la poesía española, puesto que no es sólo el epígono de un movimiento literario, sino además y sobre todo, un punto de partida, la apertura hacia una nueva concepción de la poesía, y un germen vitalizador y fecundo. Por tanto, para comprender lo que las *Rimas* suponen en la evolución de la lírica española, hay que comenzar, al menos, por considerar a su autor no como romántico «rezagado», sino como romántico «*défroqué*» («que colgó los hábitos»), como se llamó a Heine después de la publicación de *Atta Troll*. Pues, aunque ciertas características románticas están muy presentes en su obra (más en la narrativa que en la lírica), lo que en ella prima es la impronta de una moderna concepción de la poesía, de un estilo nuevo, que queda muy lejos de aquel pletórico de exclamaciones, hipérboles, suspensiones, exaltación de ciertos temas...

En los momentos en que Bécquer escribe, el romanticismo ha perdido su vigencia, y la poesía de las *ideas* está siendo sustituida por la de las *sensaciones*, las *sugerencias*, la *visión* en fin. Ya hemos hablado de Heine a este respecto; también en Francia Baudelaire trabaja nuevas fórmulas poéticas, cuyo sentido estriba en la eficacia sonora del vocablo. Son momentos en que el poeta reflexiona sobre la poesía misma, y busca en esas reflexiones un nuevo lenguaje. De 1848 y 1849, respectivamente, son las obras de E. A. Poe, *A Philosophy of Composition (Una filosofía de la composición)* y *The Poetic Principle (Principio de la poética)*, en las que expone una poética basada en la sonoridad del lenguaje, la fuerza evocadora de sus resonancias, la sugerencia pre-lingüística y la imprecisión del sentido, ideas sobre las que posteriormente va a desarrollarse lo que se denominará *poesía pura*. El *sueño* y la *fantasía* serán los dos principios sobre los que se base la poesía para lograr la evasión de la realidad.

También a estos principios se ajusta la visión poética de Bécquer —poesía de sentimiento, de sensaciones, de emociones, recuerdos, sugerencias, intimidad...— más que a la concepción romántica de una poesía de ideas e inspiración. De este modo, la renovación poética que se da en Europa en el segundo tercio del siglo xix, en España está impulsada por Gustavo Adolfo Bécquer, que deja en sus *Rimas* el germen de la nueva poesía y un paradigma para los poetas posteriores de habla hispana. La sencillez expresiva de Bécquer, así como su temática y el tratamiento de la misma, han hecho de las *Rimas* un libro de consumo para un tipo de público muy variado. Es posible que, por su sencillez aparente, el lector no se adentre en su comprensión profunda, y sólo capte la matización de los sentimientos: amor, tristeza, soledad o desesperación son emociones muy sentidas... Sin embargo, la lectura de las *Rimas* supone adentrarse en el mundo de un lírico puro, del único lírico del ochocientos español, como señaló don Antonio Machado. Y, para entenderlo así, hay que llegar a comprender la magnitud de la creación becqueriana.

La andadura hacia Bécquer

Aunque Bécquer es, de hecho, el creador de la poesía moderna, sus innovaciones no aparecen como un hecho aislado y excepcional, sino que, por el contrario, son la culminación de ideas y movimientos que se han ido fraguando durante décadas. Ya hemos hablado de las tendencias poéticas de autores extranjeros —Poe.

Baudelaire, Heine—, que en sus respectivas culturas suponen el viraje definitivo que dejará atrás al romanticismo. En España, antes de mediado el siglo, el movimiento romántico ha entrado en declive, y va abriéndose camino un tipo de poesía subjetiva que recibe influjos del exterior (de Francia y de Alemania sobre todo) y que persigue formas expresivas más sencillas, fuera de la retórica convencional, de modo que, desde 1850, puede hablarse de una corriente poética posromántica o pre-becqueriana que incorpora a la lírica un tono denso y sereno a la par que breve, así como temas de carácter intimista. El rechazo que provocan las formas huecas y grandilocuentes de un romanticismo desgastado, hace que los poetas españoles busquen otras que por sus características estructurales se adecúen al deseo de concentrar un máximo de sentido en un mínimo de expresión, y rompan así con el esquematismo anterior.

Tras ensayar la adaptación de la *balada*, que al ser apropiada para el contenido narrativo de leyendas y tradiciones guarda grandes similitudes con el romance castellano, es el *cantar* la forma que va a imponerse como esquema breve, sencillo y conciso que la nueva poesía requiere. El cantar (o *Lied*), de origen germánico, era para los poetas románticos alemanes una expresión próxima a la tradición popular; como tal la consideraron, y, de hecho, ése es su origen. Cuando en 1857 Eulogio Florentino Sanz traduce algunos poemas del *Intermezzo lírico* de Heine y los publica en *El Museo Universal*, la forma que adopta para la versión castellana es la combinación de versos de once y siete sílabas, a modo de silva, con rima asonante alterna, tal como podemos ver en el siguiente cantar, que suele relacionarse con la rima XXX de Bécquer:

Al separarse dos que se han querido
¡ay! las manos se dan,
y suspiran y lloran
y lloran y suspiran mucho más.

Entre nosotros dos, no hubo suspiros
ni hubo lágrimas... ¡ay!
lágrimas y suspiros
reventaron después... muy tarde ya.

Esta forma dada por Sanz a los cantares se adoptará como modelo no sólo en traducciones y versiones de cantares extranjeros, sino que también será el esquema que se aplique a los cantares castellanos por lo general. Los libros de cantares que proliferan en esos momentos —*Libro de los cantares*, de Trueba; los dos libros de cantares que componen *La soledad*, de Ferrán; *Cantares gallegos*, de Rosalía de Castro, etc.— son prueba de la aceptación de la fórmula lírica de corte popular e influjo germano.

También la tradición popular lírica española tiene gran importancia para las innovaciones que en España se fraguan en aquellos momentos, en cuanto a poesía se refiere: al igual que en otros países cobra importancia aquí el interés por las formas folklóricas, de manera que las coplas populares, los romances, seguidillas, soleares y cantos tradicionales en general van a ofrecer riqueza y abundancia de motivos líricos a nuestros poetas, así como esquemas métricos flexibles y sencillos, en los que tendrán cabida a un tiempo el ritmo, la concisión y la fluidez que pretenden combinar. A las cadencias y temas de los cantos populares se acercan las composiciones de los poetas renovadores que son Antonio Trueba, Eulogio Florentino Sanz, Antonio Ferrán, Ángel María Dacarrete, etc. Así podemos verlo en las dos que reproducimos, recogidas por don Antonio Machado y Álvarez en *Cantares Flamencos*, y en la número 521 de *El alma de Andalucía*, de Rodríguez Marín:

> En el cementerio entré
> levanté una losa negra,
> me encontré con tu querer.

> Me asomé a la muralla,
> me respondió el viento:
> «¿Para qué vienen tantos suspiritos
> si no hay remedio?»

> Si piensas que vas solo
> por el camino
> entre tus pasos lentos
> van mis suspiros.
> Solito no vas:
> que entre tus pasos lentos
> mis suspiros van.

Coplas éstas de resonancias similares a las de Augusto Ferrán, que también transcribimos, y que a su vez hacen pensar en las rimas XLVII y XXVIII, respectivamente:

> Yo me asomé a un precipicio
> por ver lo que había dentro,
> y estaba tan negro el fondo
> que el sol me hizo daño luego.

> Los besos y los suspiros,
> las lágrimas y las quejas,
> ¿quién sabe de dónde vienen
> y dónde el viento las lleva?

La definición, en fin, de estas composiciones, la ofrece el propio Ferrán, quien en el prólogo a su libro escribe:

> He escrito estos versos en el estilo sencillo y espontáneo de las canciones populares, las cuales he intentado imitar. Si me he separado algunas veces del carácter peculiar de este género de poesías no lo puedo atribuir más que a mi predilección por ciertas canciones alemanas, entre ellas las de Enrique Heine, que en realidad tienen alguna semejanza con los cantares españoles.

Trayectoria de un poeta

En 1836, un año antes de la muerte de Larra, nace en Sevilla Gustavo Adolfo Domínguez Bastida, hijo de un pintor costumbrista y descendiente, por línea paterna, de los Becker, flamencos afincados en Sevilla en el siglo XVI, donde obtuvieron certificación de nobleza. Desde su infancia, la vida de Gustavo Adolfo Bécquer (firma el poeta con el apellido séptimo de su nombre completo, el tercero de su padre) aparece marcada por las adversidades de la fortuna: cuando cuenta cinco años de edad muere su padre, don José Domínguez Insausti, y en el año 1847, a los once del poeta, su madre, doña Joaquina Bastida Vargas.

En 1846 conoce a Narciso Campillo, cuya amistad sobrevivirá a la muerte: son condiscípulos en el colegio de náutica de San

Telmo, pensionado para huérfanos de nobles con pocos recursos económicos, donde Gustavo Adolfo ha ingresado para seguir estudios de piloto de altura. En su corta estancia en el internado (es suprimido por Real Orden al año siguiente de que él ingresara) ya se manifiesta su afición a las letras, pues en tan temprana edad Campillo y él escriben un drama y una novela con los títulos respectivos de *Los conjurados* y *El bujarrón en el desierto*, aunque ésta quedó inacabada.

Los años de adolescencia en Sevilla están marcados por la inclinación a los tres rasgos que conforman su personalidad: la creación literaria, el sentimiento amoroso y la afición a la pintura. Las lecturas en la copiosa biblioteca de su madrina, doña Manuela Monnehay, con quien va a vivir después de la muerte de su madre, son el preludio de su palpitante existencia posterior. Toma allí los primeros contactos con las obras de Chateaubriand, Byron, Mme. Staël, Musset, D'Alincourt, George Sand, Hugo, Hoffmann, Balzac, Espronceda... Antes, en San Telmo, de niño, lo había deslumbrado Horacio con sus *Odas*, y había admirado a Zorrilla. Sobre esos años de formación escribe posteriormente Bécquer en las *Cartas desde mi celda*:

> Cuando yo tenía catorce o quince años, y mi alma estaba henchida de deseos sin nombre, de pensamientos puros y de esa esperanza sin límites que es la más preciosa joya de la juventud; cuando yo me juzgaba poeta; cuando mi imaginación estaba llena de esas risueñas fábulas del mundo clásico, y Rioja en sus silvas a las flores, Herrera en sus tiernas elegías y todos mis cantores sevillanos, dioses penates de mi especial literatura, me hablaban de continuo del Betis majestuoso, el río de las ninfas, de las náyades y de los poetas, que corre al Océano escapándose de un ánfora de cristal, coronado de espadañas y laureles, ¡Cuántos días, absorto en la contemplación de mis sueños de niño, fui a sentarme en su ribera, y allí, donde los álamos me protegían con su sombra, daba rienda suelta a mis pensamientos y forjaba una de esas historias imposibles, en las que hasta el esqueleto de la muerte se vestía a mis ojos con galas fascinadoras y espléndidas! Yo soñaba entonces una vida independiente y dichosa, semejante a la del pájaro, que nace para cantar y Dios le procura de comer; soñaba esa vida tranquila del poeta que irradia con suave luz de una en otra generación; soñaba que la

ciudad que me vio nacer se enorgulleciese con mi nombre, añadiéndolo al brillante catálogo de sus ilustres hijos, y cuando la muerte pusiera un término a mi existencia, me colocasen para dormir el sueño de oro de la inmortalidad a la orilla del Betis, al que yo habría cantado en odas magníficas, y en aquel mismo punto adonde iba tantas veces a oír el suave murmullo de sus ondas. Una piedra blanca con una cruz y mi nombre sería todo el monumento.

Con su bagaje de lecturas irá adentrándose en el mundo de la creación poética: la *Oda a la muerte de don Alberto Lista* (1848), la *Oda a la señorita Lenona, en su partida* (1852) y el romance *La plegaria y la corona* (1854) son las composiciones más tempranas que se conocen, de influjo clasicista. Desde 1850 estudia pintura en el taller de Cabral Bejarano, y dos años más tarde, con su tío Joaquín, quien desde 1853 le costea «estudios de latinidad». Por estas fechas, cuando tras conocer a Julio Nombela, Bécquer planea su viaje a Madrid, mantiene su primera relación sentimental con la señorita Julia Cabrera, a quien en el verano de 1854 entrega el álbum *Los contrastes* con dibujos suyos y de Valeriano. Años más tarde, en Toledo, se acordará de ella, cuando en *La mujer de piedra* escribe: «Nunca pude darme razón, cuando muchacho, de por qué para ir a cualquier punto de la ciudad donde nací era preciso pasar antes por la casa de mi novia.»

1854 supone un hito en la vida del poeta: el 1 de noviembre, día de Todos los Santos, llega a Madrid en busca de la gloria literaria, meta que consigue plenamente aunque él no llegue a conocerla ni a alcanzarla en vida.

Son, en principio, colaboraciones en periódicos poco importantes, libretos de zarzuela escritos con García Luna (firmados por pudor con el pseudónimo de *Adolfo García*) y algunos empleos esporádicos los que van proporcionándole escasos medios económicos para subsistir. Del primer año en Madrid son los poemas *A Quintana, Corona de oro (fantasía)* y *Anacreóntica*. En 1857 comienza la publicación de *Historia de los Templos de España*, sobre la que una reseña del periódico madrileño *La Crónica* dice:

Ya se ha terminado la descripción e historia de la magnífica iglesia de San Juan de los Reyes, en cuya descripción el señor

Gustavo Adolfo Bécquer ha desplegado una vasta erudición y un estilo tan castizo y ameno que hace olvidar y hasta leer con avidez esta clase de trabajos, por lo común tan estériles.

Bécquer había concebido la *Historia de los Templos de España* como una gran obra. Su grandeza, sin embargo, estriba en ser el comienzo del estilo de su prosa, estilo que desde 1858, con *El caudillo de las manos rojas*, se plasma en sus leyendas, «prosa que aspiraba a convertirse en instrumento lírico», como señala Luis Cernuda, porque «paralelamente a como aproxima el verso a la prosa, trata también de acercar la prosa al verso, no para escribir una prosa poética, sino para hacer de la prosa instrumento efectivo de la poesía».

La primera gran crisis de Gustavo en Madrid tiene lugar en 1858: una grave y larga enfermedad en la que se ve atendido por su hermano y sus amigos. Uno de ellos, Rodríguez Correa, hace publicar *El caudillo de las manos rojas* para ayudar a sufragar la enfermedad. El año es crucial, pues en otoño, durante su convalecencia, conoce a las hermanas Julia y Josefina Espín que de tan gran manera van a influir en la composición de las *Rimas* que tal vez comience en esas mismas fechas, pues a principios del año siguiente, incluida en *La venta encantada*, zarzuela escrita en colaboración con García Luna, aparece la primera que se hace pública, que dice así:

> ¿Ves esa luna que se eleva tímida?
> Blanca es su luz;
> pero aún más blanca que sus rayos trémulos,
> blanca eres tú.

Sobre las fechas, los motivos de inspiración y la composición de las *Rimas* se han barajado muchas hipótesis. Hay quien ha querido fecharlas, en conjunto, entre los años que van de 1859 a 1861, y considerarlas como un producto de sus sentimientos por Julia Espín. Sin embargo, después de la magnífica biografía de Rafael Montesinos, esa tesis no puede sostenerse, y más bien hay que hablar de las dos hermanas, Julia y Josefina, así como de otras mujeres, posteriormente, que también pudieron ser motivo de inspiración para Bécquer y destino de sus *Rimas*, si es que esa inspiración se debe a un determinado sentimiento amoroso. Desde 1859 a 1868 aparecen publicadas catorce rimas, algunas de ellas repetidas, lo que no quiere decir que tales fechas se correspondan con las de su composición, aunque sí puedan fijarse unos límites entre 1859 y 1868, fecha en que Bécquer entrega a González Bravo el manuscrito de la obra para su publicación. La enumeración de las rimas publicadas con la fecha y el lugar de aparición es el siguiente:

1859 - Rima XIII, en *El Nene* de 17 de diciembre.
1860 - Rima XV, en *Correo de la Moda* de 24 de octubre.
1861 - Rima XXIII, en *El Contemporáneo* de 23 de abril.
1861 - Rima LXI, en el *Almanaque del Museo Universal para 1861.*
1861 - Rima LXII, en *Correo de la Moda* de 31 de julio.
1863 - Rima XXVII, en *La Gaceta Literaria.*
1865 - Rima XI, en *El Eco del País* de 26 de febrero.
1866 - Rima II, en *El Museo Universal* de 8 de abril.
1866 - Rima V, en *El Museo Universal* de 28 de enero.
1866 - Rima XVI, en *El Museo Universal* de 13 de mayo.
1866 - Rima XXIV, en *El Museo Universal* de 18 de marzo.
1868 - Rima LXIX, en *El Museo Universal* de 9 de octubre.
1868 - Rima IX, en el *Almanaque del Museo Universal para 1868.*

Su mayor producción corresponde a la década de los años sesenta. Justamente en 1860 puede considerarse un momento clave de la vida de Bécquer, pues traba amistad con el poeta Augusto Ferrán, buen conocedor de la lengua alemana y de la poesía de Heine, para cuyo libro de cantares titulado *La soledad*, de 1861, escribe Bécquer la reseña que se hará famosa por la definición de poesía que en ella incluye. Son estos años un período de gran actividad, y fructífero en su labor de periodista, y suponen, sobre todo, el momento de su madurez literaria, el de las leyendas y las rimas.

La publicación de las *Cartas literarias a una mujer*, en 1861, coincide con la fecha de su casamiento con Casta Esteban. De 1864 datan los ensayos *Cartas desde mi celda* escritas para el periódico *El Contemporáneo* desde el monasterio de Veruela. Su situación econó-

mica queda saneada al aceptar el cargo de censor de novelas que el
ministro González Bravo, protector del poeta, le ofrece; precisamente en su despacho estaba depositado el manuscrito de las
Rimas, esperando la publicación, cuando se pierde por causa de los
tumultos de la «*Gloriosa*». Ese mismo año Bécquer se separa de su
mujer, y acompaña al ministro conservador al exilio de París. A su
vuelta, retirado en Toledo con su hermano y sus dos hijos, Bécquer
reconstruye las rimas; el manuscrito lleva por título *Libro de los
gorriones*, y los poemas van precedidos de la «*Introducción sinfónica*» y
«*La mujer de piedra*»; antes del comienzo de las rimas se lee la frase
autógrafa: «*Poesías que recuerdo del libro perdido*».

Muere poco después, el 22 de diciembre de 1870, a la edad de
treinta y cuatro años. Había pasado por la vida discretamente,
pues pocos valoraron su obra mientras el poeta vivió: de «suspiri-
llos germánicos» fueron calificadas las rimas por algunos de sus
contemporáneos. En 1871 sus amigos publican una edición de sus
obras, y otras cuatro (en 1877, 1881, 1885 y 1898) se hacen dentro
del siglo XIX. Hay que esperar, sin embargo, al XX para que la
poesía de Gustavo Adolfo Bécquer sea estimada en todo su alcance
y significación.

Como poeta premodernista es considerado Bécquer, y maestro
de poetas de la nueva era: Juan Ramón Jiménez, Antonio Machado y Luis Cernuda, entre otros, miran hacia él, descubren su poética, y aprenden en sus *Rimas* «qué es poesía».

Poética becqueriana

Bécquer dejó expuestas en algunas de sus obras en prosa —reseña a *La soledad*, *Cartas literarias a una mujer*, *Introducción sinfónica*
y fragmentos sueltos en otras composiciones— ideas acerca de su
concepción de la poesía; también en algunas rimas —I, III, IV,
VII, VIII, XI y XXI— toca el motivo de la creación poética como
hecho literario. Tanto en prosa como en verso, sus intentos de
definir la poesía suelen agruparse en torno a la reflexión sobre
diversos aspectos, como son: la definición de la poesía, la percepción de lo poético y la dificultad de la expresión poética.

En cuanto a la definición, se encuentran dos tipos, una sobre la forma poética, cuya representación por excelencia es la que figura en la reseña a *La soledad* de Ferrán, escrita en 1861, que comenta diciendo:

> Hay una poesía magnífica y sonora; una poesía hija de la meditación y del arte, que se engalana con todas las pompas de la lengua, que se mueve con una cadenciosa majestad, habla a la imaginación, completa sus cuadros y la conduce a su antojo por un sendero desconocido, seduciéndola con su armonía y su hermosura.
>
> Hay otra natural, breve, seca, que brota del alma como una chispa eléctrica, que hiere el sentimiento con una palabra y huye, y desnuda de artificio, desembarazada dentro de una forma libre, despierta, con una que les toca, las mil ideas que duermen en el océano sin fondo de la fantasía.
>
> La primera tiene un valor dado: es la poesía de todo el mundo. La segunda carece de medida absoluta: adquiere las proporciones de la imaginación que impresiona: puede llamarse la poesía de los poetas. La primera es melodía que nace, se desarrolla, acaba y se desvanece. La segunda es un acorde que se arranca de un arpa y se quedan las cuerdas vibrando con un zumbido armonioso.
>
> Cuando se concluye aquélla, se dobla la hoja con una suave sonrisa de satisfacción. Cuando se acaba ésta, se inclina la frente cargada de pensamiento sin nombre. La una es el fruto divino de la unión del arte y de la fantasía, la otra es la centella inflamada que brota al choque del sentimiento y de la pasión.

De estas dos, la segunda es la que Bécquer cultiva y establece como «síntesis de la poesía». En los adjetivos que emplea —«natural», «breve», «seca», «desnuda de artificio»— radica la renovación formal becqueriana: brevedad y concisión de una parte; de otra, la sugerencia, la insinuación, el misterio que siempre encierra lo impreciso.

Al lado de ésta, están las definiciones que formula sobre la visión de la esencia de la poesía, cuyo resultado es la poesía pura nacida de un sentimiento íntimo. En ellas parece que el poeta quisiera describir más que definir, para así ahondar en el mundo de los sentimientos y de las emociones. Es sin duda uno de los ejemplos más patentes en este sentido el que ofrece la rima XXI, que sin esfuerzo retenemos en la memoria, cuyo contenido tiene su paralelo con una frase también famosa de la *Carta I:* «La poesía eres tú, te he dicho, porque la poesía es el sentimiento, y el sentimiento es la mujer.»

En la *Carta III* vuelve a la definición, con resonancias de las rimas III, IV, V, VIII, XI, XV...

> Que poesía es y no otra cosa esa aspiración melancólica y vaga que agita tu espíritu con el deseo de una perfección imposible.
>
> Poesía, esas lágrimas involuntarias que tiemblan un instante en sus párpados, se desprenden en silencio, ruedan, y se evaporan como un perfume.
>
> Poesía, el gozo improviso que ilumina tus facciones con una sonrisa suave, y cuya oculta causa ignoras dónde está.
>
> Poesías son, por último, todos esos fenómenos inexplicables que modifican el alma de la mujer cuando despierta el sentimiento y la pasión.
>
> ¡Dulces palabras que brotáis del corazón, asomáis al labio y morís sin resonar apenas, mientras que el rubor enciende las mejillas! ¡Murmullos extraños de la noche, que imitáis los pasos del amante que se espera! ¡Gemidos del viento que fingís una voz querida que nos llama entre las sombras! ¡Imágenes confusas, que pasáis cantando una canción sin ritmo ni palabras, que sólo percibe y entiehde el espíritu! ¡Febriles exaltaciones de la pasión, que dais colores y forma a las ideas más abstractas! ¡Presentimientos incomprensibles, que ilumináis como un relámpago nuestro porvenir! ¡Espacios sin límites, que os abrís ante los ojos del alma ávida de inmensidad y la arrastráis a vuestro seno, y la saciáis de infinito! ¡Sonrisas, lágrimas, suspiros y deseos, que formáis el misterioso cortejo del amor! ¡Vosotros sois la poesía, la verdadera poesía que puede encontrar un eco, producir una sensación, o despertar una idea!

En estas definiciones hemos visto como Bécquer entra en el mundo del sentimiento. La rima III es toda ella una serie de «consideraciones» sobre el sentimiento poético, ya como inspiración ya como razón; la percepción de lo poético viene a través de sensaciones expresadas por medio de imágenes que remiten al mundo de los sentidos para revertir de nuevo en el de las ideas y la memoria:

>   Sacudimiento extraño
>   que agita las ideas
>   . . . .
>   Murmullo que en el alma
>   se eleva y va creciendo
>   . . . .
>   Deformes siluetas
>   de seres imposibles,
>   . . . .
>   Colores que fundiéndose
>   remedan en el aire
>   los átomos del Iris
>   . . . .
>   Ideas sin palabras,
>   palabras sin sentido,
>   cadencias que no tienen
>   ni ritmo ni compás.
>
>   Memorias y deseos
>   de cosas que no existen;
>   accesos de alegría,
>   impulsos de llorar.
>   . . . .

En la *Carta II* también habla de las sensaciones, ideas y sentimientos:

> ... por lo que a mí toca, puedo asegurarte que cuando siento no escribo. Guardo, sí, en mi cerebro escritas, como en un libro misterioso, las impresiones que han dejado en él su huella al pasar; estas ligeras y ardientes hijas de la sensación duermen allí agrupadas en el fondo de mi memoria hasta el instante en que puro, tranquilo, sereno y revestido, por decirlo así, de un poder sobrenatural, mi espíritu las evoca, y tienden sus alas transparentes que bullen con un zumbido extraño, y cruzan otra vez a mis ojos como en una visión luminosa y magnífica.
>
> Entonces no siento ya con los nervios que se agitan, con el pecho que se oprime, con la parte orgánica y material que se conmueve al

rudo choque de las sensaciones producidas por la pasión y los afectos; siento, sí, pero de una manera que puede llamarse artificial; escribo como el que copia de una página ya escrita; dibujo como el pintor que reproduce el paisaje que se dilata ante sus ojos y se pierde entre la bruma de los horizontes.

También en las *Rimas* la síntesis del sentimiento es la expresión poética:

> Mientras se sienta que se ríe el alma
> sin que los labios rían;
> mientras se llore sin que el llanto acuda
> a nublar la pupila;
> mientras el corazón y la cabeza
> batallando prosigan;
> mientras haya esperanzas y recuerdos,
> ¡habrá poesía!

Porque el mundo de las sensaciones no basta para llegar a la poesía, sino que además necesita del sentimiento que le confiere la esencia poética, y también de la lengua que le da forma. El ejemplo del arpa, en la rima VII, expone esta idea. Por su parte, la rima I es muestra perfecta de lo que para el poeta supone la limitación de tener que encerrar el sentimiento en la expresión, puesto que ese sentimiento contiene el cúmulo de sensaciones anteriores plásticas, auditivas, emocionales...

> Yo quisiera escribirle, del hombre
> domando el rebelde, mezquino idioma,
> con palabras que fuesen a un tiempo
> suspiros y risas, colores y notas.
> Pero en vano es luchar; que no hay cifra
> capaz de encerrarle...

En la *Carta II* insiste sobre la misma idea con palabras muy precisas:

> Si tú supieras cómo las ideas más grandes se empequeñecen al encerrarse en el círculo de hierro de la palabra; si tú supieras qué

diáfanas, qué ligeras, qué impalpables son las gasas de oro que flotan en la imaginación, al envolver esas misteriosas figuras que crea, y de las que sólo acertamos a reproducir el descarnado esqueleto; si tú supieras cuán imperceptible es el hilo de luz que ata entre sí los pensamientos más absurdos, que nadan en su caos; si tú supieras..., pero, ¿qué digo? Tú lo sabes, tú debes saberlo.

¿No has soñado nunca? ¿Al despertar te ha sido alguna vez posible referir con toda su inexplicable vaguedad y poesía lo que has soñado?

El espíritu tiene una manera de sentir y comprender especial, misteriosa, porque él es un arcano; inmensa, porque él es infinito; divina, porque su esencia es santa.

¿Cómo la palabra, cómo un idioma grosero y mezquino, insuficiente a veces para expresar las necesidades de la materia, podrá servir de digno intérprete entre dos almas?

Imposible.

Sin embargo, Bécquer es poeta, el poeta por excelencia, y, por tanto, artífice de la palabra. «Cuando siento no escribo», dice. Es, pues, el sentimiento, tras la sedimentación de la vivencia, y gracias al recuerdo —«me cuesta trabajo saber qué cosas he soñado y cuáles me han sucedido»— lo que hace que la sensación primera se convierta en poesía. El sueño disipa la realidad inmediata y sumerge al poeta en otro mundo de realidad última, un mundo espacioso, intangible, de formas etéreas, armónicas, inefables, inciertas, en fin.

Experimentar, recordar, sentir, luchar con la palabra... Ese es el proceso de su creación. Lo que nos ha quedado de esos procesos que Bécquer sintió son los versos de las *Rimas*, «cadencias que el aire dilata en las sombras», «himno gigante y extraño». Lo que nos ha quedado es la creación de un ritmo, de una cadencia continua, tenue, melodiosa.

Las *Rimas*, culminación de un género

Como se ha dicho, la génesis y la fecha exacta en que las rimas fueron escritas no se conocen, aunque sí el período cronológico desde el comienzo de su composición hasta el momento en que el libro estuvo preparado y fue entregado a González Bravo para su publicación. Desgraciadamente el manuscrito se perdió en los tumultos de la revolución «Septembrina», y sobre él nada se sabe, ni las composiciones que incluía ni la ordenación que el autor pudo darles. Pero si el libro de las *Rimas* se perdió, queda, de confección posterior, un documento becqueriano sumamente importante: en 1914, el alemán Franz Schneider, que preparaba su tesis doctoral sobre Bécquer, encontró en la Biblioteca Nacional de Madrid un manuscrito —el 13.216— autógrafo de Bécquer. Se trata de un cuaderno comercial de seiscientas páginas, en cuya cubierta figura escrito *Libro de los gorriones. Gustavo Adolfo D. Bécquer. Junio de 1868;* en la página tercera, tras la repetición del título, se lee el subtítulo *Colección de proyectos, argumentos, ideas y planes de cosas diferentes que se concluirán o no según sople el viento. De Gustavo Adolfo Claudio D. Bécquer. 1868. Madrid, 17 de junio;* entre las páginas cinco a siete está escrita la *Introducción sinfónica*, y de la nueve a la diecinueve, inconclusa, *La mujer de piedra*. Luego, más de quinientas páginas en blanco, y a partir de la 529 y hasta la 531, el *Índice de las Rimas;* después de un grabado en la página 533, en la 535 se encuentra el título *Rimas de Gustavo Adolfo Bécquer*, y dos páginas más adelante, *Poesías que recuerdo del libro perdido*. A partir de aquí las setenta y nueve rimas, que acaban en la página final del libro.

Por otra parte, en 1871, tras la muerte de Bécquer, sus amigos prepararon una edición que incluía setenta y seis rimas, tres menos que el *Libro de los gorriones;* de estas tres que no figuran en la edición, dos están tachadas en el autógrafo, la LXXVIII y la LXXIX. En la cuarta edición de las *Obras*, de 1885, se incorporan otras cuatro composiciones que no figuran en el manuscrito, y posteriormente otras tres.

El *Libro de los gorriones*, para el que, según Narciso Campillo, «con ímprobo trabajo consiguió el poeta ir recordando y transcribiendo sus composiciones», tiene una ordenación muy distinta a la de la edición de 1871, y ha planteado problemas para la fijación textual debido a las variantes que presenta respecto a los textos de la edición y a los impresos anteriores, y también porque en él aparecen enmiendas y tachaduras posteriores a la copia de las composiciones.

La edición de las *Rimas* de 1871 mantiene una ordenación que no sigue criterios cronológicos, y que difiere de la que hizo el propio Bécquer en el manuscrito del *Libro de los gorriones*. Parece que al editarlas, el criterio que siguieron fue el de presentar una ordenación temática que se acercara a la formación de una historia amorosa unitaria, tal como era costumbre concebir ciertas obras de carácter lírico; así lo confirma Rodríguez Correa en el prólogo a la primera edición: «Todas las *Rimas* de Gustavo forman, como el *Intermezzo* de Heine, un poema más ancho y completo que aquél, en que se encierra la vida de un poeta». Sin embargo, hay que poner en duda que en el origen de la composición de las *Rimas* exista la idea de un desarrollo temático con criterios concebidos a partir de hechos de la vida del autor.

En este sentido, José Pedro Díaz, estudioso por antonomasia de la obra de Bécquer, siguiendo a Gerardo Diego, divide las *Rimas* en cuatro series correspondientes a los temas predominantes en cada una de ellas, que son: la *poesía*, rimas I a XI; el *amor*, rimas XII a XXIX; el *desengaño*, rimas XXX a LI; el *dolor* y la *angustia*, rimas LII a LXXVI. Por su parte, Rica Brown, autora de una de las mejores biografías escritas sobre Bécquer, ve tres tipos de temas: 1) la *poesía;* 2) la *mujer* y la *inspiración poética,* 3) el *destino* y el *fin del hombre.* Merece especial mención en cuanto a la clasificación temática, la que presenta Juan María Díez Taboada en *La mujer ideal,* quien establece —siguiendo los «períodos de poetización» apuntados por Balbín, de «motivos renacentistas y naturales», «románticos y arqueológicos» y «de poetización directa y real»— tres etapas con aspectos caracterizadores que conllevan diferentes visiones de la mujer por parte del poeta, *la mujer ideal, la mujer inaccesible* y *la mujer presentada,* correspondientes, a su vez, a los ámbitos de «luz», «piedra» y «sueño» como elementos representativos de los distintos enfoques que enmarcan esas visiones; sirven de ejemplo para cada una de esas etapas, respectivamente, las rimas XV (la mujer fundida con las formas de la naturaleza, la búsqueda de lo ideal inalcanzable...), LXXVI (la mujer de piedra y el recinto...) y LXXV (interiorización y mundo onírico...). Distingue además el gran especialista en temas becquerianos que es Díez Taboada series de rimas con temas como la mujer desidealizada (XXXIV, XXXIX, XL, XLV, etc.), la ruptura amorosa (XLIII, LVII, LVIII, etc.), la poesía (I, III, IV, V, etc.)...

Los influjos bajo los que Bécquer compuso las *Rimas* han sido cuestión muy debatida y estudiada. Hemos conocido a un Bécquer aficionado a la lectura desde niño, y con frecuencia los críticos han encontrado paralelismos temáticos y similitudes entre las distintas rimas y obras de autores tanto clásicos como románticos. Sea como fuere, si tales influjos existieron, cabe al autor de las *Rimas* la gloria de la innovación en una doble vía: la del tratamiento del tema, y la renovación formal, pues en ambos casos la originalidad de Bécquer no admite discusión. Sin duda Bécquer conoció la traducción en prosa de la melodía de Byron *Te vi llorar*, publicada en *El Semanario Pintoresco Español* en 1851, sin embargo, la rima XIII, subtitulada en la versión de 1859 «*Imitación a Byron*», supera el tratamiento del tema dado por el poeta inglés, al aumentar considerablemente los motivos que va relacionando con el *leitmotiv* de «la pupila azul». También debió conocer todas las traducciones de Heine que se publicaron, pero la elaboración becqueriana dista mucho de la concepción del poema por parte de aquél; así puede verse en el tan divulgado cantar de *Intermezzo* traducido por Sanz:

> ¡Que están emponzoñadas mis canciones!
> ¿Y no han de estarlo, di?
> Tú de veneno henchiste, de veneno,
> mi vida juvenil.

> ¡Que están emponzoñadas mis canciones!
> ¿Y no han de estarlo, di?
> Dentro del corazón llevo serpientes
> y a más te llevo a ti.

cuya primera parte se relaciona con la rima LXXIX, y la segunda con la **XXXIX**:

> Sé que en su corazón, nido de sierpes,
> no hay una fibra que al amor responda;
> que es una estatua inanimada; pero...
> ¡es tan hermosa!

> (**XXXIX**)

> Una mujer me ha envenenado el alma,
> otra mujer me ha envenenado el cuerpo;
> ninguna de las dos vino a buscarme,
> yo de ninguna de las dos me quejo.
>
> (LXXIX)

O poemas de autores españoles, a los que las rimas becquerianas se acercan, como la siguiente estrofa, por ejemplo, del poema *Dime* de Dacarrete, que también se ha comparado con la rima XXXIX:

> Dime, ¿habrá una mujer que, cuál tú, inspire
> amor tan puro, adoración tan casta?
> Dime, ¿habrá sierpe que tan negra tenga
> como tú el alma?

Sin embargo, el tono en que las rimas expresan la inspiración y el sentimiento no se halla en ninguno de los ejemplos que siempre se buscan como parangón. Y tampoco la expresión lírica, que en Bécquer supera los límites de sus contemporáneos y alcanza las cotas máximas de la historia de la literatura española.

Aún no puede hablarse de una edición definitiva de las *Rimas*, ni en cuanto al número de composiciones ni en cuanto a la fijación de los textos, mientras quede por desvelar el enigma del «libro perdido», pues, como hemos visto, desde la primera edición póstuma, los hallazgos vienen siendo constantes. A este respecto hay que mencionar la última localización de una rima, efectuada por Juan María Díez Taboada, quien, en un reciente artículo, tras el estudio del texto en su doble perspectiva de estilo y noticias que se conocen acerca de la composición, la estima como compuesta por Bécquer. La rima, publicada en 1901, y sacada a luz nuevamente en 1981 en el artículo mencionado, dice así:

> Aire que besa, corazón que llora,
> águila del dolor y la pasión,
> cruz resignada, alma que perdona...
> ese soy yo.
>
> Serpiente del amor, risa traidora,
> verdugo del ensueño y de la luz,
> perfumado puñal, beso enconado...
> ¡eso eres tú!

Bibliografía

Díaz, José Pedro: *Gustavo Adolfo Bécquer. Vida y Poesía*, Madrid, Gredos, 1971, 4.ª ed. («Biblioteca Románica Hispánica. Estudios y Ensayos»). La obra de José Pedro Díaz es un magnífico y exhaustivo adentramiento en el estudio de la poesía de Bécquer, su génesis, sus influjos, composición, publicación, fijación textual, ediciones... Libro indispensable para tomar contacto con las *Rimas* y su autor a cualquier nivel y en todo tipo de estudios.

Díez Taboada, Juan María: *La mujer ideal*, Madrid, CSIC, 1965. Estudio de la poética becqueriana partiendo de las *Rimas*. Abarca también el análisis literario y estilístico de los poemas, análisis en el que pormenoriza los temas de las *Rimas*, extendiéndose a influjos y similitudes, tomando como base el concepto de la mujer y los atributos que las *Rimas* le asignan, siempre como elemento literario.

Guillén, Jorge: «Bécquer o lo inefable soñado», en *Poesía y lenguaje*, Madrid, Alianza Editorial, 1969 («El Libro de Bolsillo»). Es la visión de un poeta del siglo xx sobre la poética, el proceso de creación y la poesía de Gustavo Adolfo Bécquer.

Montesinos, Rafael: *Bécquer. Biografía e Imagen*, Barcelona, Editorial RM, 1977. Biografía en que Rafael Montesinos recoge sus anteriores descubrimientos sobre la vida del poeta; en ella pone en claro aspectos sobre los que se habían barajado hipótesis muy distintas. Obra bellísima y amena, además de completa y documentada.

Pageard, Robert: *Rimas de Gustavo Adolfo Bécquer*, Madrid, CSIC, 1972. Edición completa de las *Rimas* que incluye tanto la génesis, el influjo y las variantes, como la revisión crítica de la bibliografía dedicada a cada una de las rimas, en esos sentidos.

Shaw, Donald L.: *Historia de la Literatura española. El siglo XIX*, Barcelona, Ariel, 1976, pp. 144-172. Dentro de la historia de la literatura del siglo xix, D. L. Shaw ofrece una visión ajustada y clara sobre Bécquer y su obra, así como de los antecedentes literarios de las *Rimas*.

Bécquer en una fotografía de hacia 1865-67.

Bécquer a los 18 años,
pintado por Valeriano Bécquer.

Bécquer en Veruela. Dibujo de Valeriano.

Julia Espín en 1869.

Libro de los gorriones

—

Coleccion de proyectos, argumentos, ideas y planes
de cosas diferentes que se concluirán ó no segun
sople el viento.

De

Gustavo Adolfo Claudio A. Becquer.

1868

Madrid 17 J⁵

Portada del *Libro de los gorriones*,
manuscrito autógrafo de Bécquer
(Biblioteca Nacional de Madrid).

OBRAS

DE

GUSTAVO A. BECQUER

TOMO PRIMERO

—

MADRID
IMPRENTA DE T. FORTANET
CALLE DE LA LIBERTAD, NÚM. 29
—
1871

Portada de la edición
príncipe (1871) de las
Obras de Bécquer.

Autógrafo de la rima XV. Orla dibujada por José Rico.

Dibujo de J. Orejuela,
inspirado en la rima LX

Una muger mí ha envenenado el alma
otra muger me ha envenenado el cuerpo
ninguna de las dos viso á buscarme
yo de ninguna de las dos me quejo

Como el mundo es redondo el mundo rueda
Si mañana rodando, este veneno
envenena á su vez ¿por que acusarme?
¿Puedo dar mas de lo que á mí me dieron?

Rima LXXIX, autógrafa de Bécquer. Es la num. 55 del *Libro de los gorriones*,
donde aparece tachada.

Nota previa

El texto de las *Rimas* de la presente edición sigue, en general, la de José Carlos de Torres en Clásicos Castalia (núm. 74), que, a su vez está basada en el manuscrito del *Libro de los gorriones* y tiene en cuenta variantes de fuentes manuscritas e impresas, así como las ediciones de José Pedro Díaz y de Juan María Díez Taboada. Los casos exactos en los que la presente edición no se ajusta a la de Clásicos Castalia son:

— el último verso de la rima X (suprimimos las palabras «¿Dime?...
¡Silencio!»), y los versos 7 y 15 de la rima LIX (preferimos la corrección del *Libro de los gorriones*, igual que la edición de J. P. Díaz);

— indicación de algunas diéresis —cuando el cómputo silábico las exige—, aunque, por lo general, no suelan ponerse en las distintas ediciones; se ha procedido a ello en los versos: 9 de la rima III (silüetas), 31 de la rima III (embrïaguez), 50 de la rima III (armonïoso), 8 de la rima XXIV (armonïosas), 11 de la rima XXVII (süave), 6 de la rima XLIII (embrïaguez), 6 de la rima LXXII (süave);

— ciertos solecismos que corregimos, como «pudistes» (rima XXXV), «amémosnos» y «digámosnos» (rima LVIII);

— modernización de usos ortográficos, como en «adónde» (rima XXXVIII), y ligeras modificaciones en acentuación y puntuación.

La edición incluye, numeradas entre corchetes, las tres rimas que no figuran en la primera edición y sí en el *Libro de los gorriones* (las LXXVII, LXXVIII y LXXIX), y las recogidas después de 1871.

La ordenación sigue la de la edición de 1871 por considerar que no sólo es la más conocida, sino también la que ofrece una visión general más completa de las *Rimas* hasta tanto se encuentre una distribución más adecuada. También la numeración en romanos es la que figura en la primera edición; debajo, y entre paréntesis, se encuentran los números asignados a los poemas en el *Libro de los gorriones*.

RIMAS

I

hymn

(11)

Yo sé un himno gigante y extraño   *metaphor: triste*
que anuncia en la noche del almá una aurora,
y estas páginas son de ese himno
cadencias que el aire dilata en las sombras

Yo quisiera escribirle, del hombre   5
domando el rebelde, mezquino idioma,[1]
con palabras que fuesen a un tiempo
suspiros y risas, colores y notas.

Pero en vano es luchar; que no hay cifra
capaz de encerrarle, y apenas ¡oh, hermosa!   10
si teniendo en mis manos las tuyas
pudiera, al oído, cantártelo a solas.[(1)]

---

[1] Hipérbaton, equivalente a «yo quisiera escribirlo domando el rebelde, mezquino idioma del hombre». Bécquer suele cometer leísmo de cosa; de ahí el uso en el verso 5 del pronombre *le*, complemento directo. Se repite este fenómeno en toda la obra.

[(1)] En la rima seleccionada para abrir la edición de 1871, Bécquer se refiere a tres constantes de su obra: la poesía, el poeta y la expresión

II

(15)

Saeta que voladora
cruza, arrojada al azar,
y que no se sabe dónde
temblando se clavará;

hoja que del árbol seca   5
arrebata el vendaval,
sin que nadie acierte el surco
donde al polvo volverá.

Gigante ola que el viento
riza y empuja en el mar   10
y rueda y pasa, y se ignora
qué playa buscando va.

Luz que en cercos temblorosos
brilla próxima a expirar,
y que no se sabe de ellos   15
cuál el último será.

Eso soy yo que al acaso
cruzo el mundo sin pensar
de dónde vengo ni a dónde
mis pasos me llevarán.[2]   20

poética. Cada una de ellas queda aquí caracterizada por las propiedades
que en las *Rimas* y en la teoría literaria les serán adjudicadas: la poesía
como inefable, el poeta como poseedor de la visión poética, y la expresión
como insuficiente para las imágenes visuales y auditivas a que Bécquer
alude.

(2) Obsérvese cómo la quinta estrofa sintetiza las cuatro primeras, que
son, en realidad, cuatro metáforas construidas sobre los elementos «aire»,
«agua» y «luz», referencias frecuentes en Bécquer (con la variante «fue-

III

(42)

Sacudimiento extraño
que agita las ideas
como huracán que empuja
las olas en tropel.

Murmullo que en el alma   5
se eleva y va creciendo
como volcán que sordo
anuncia que va a arder.

Deformes silüetas
de seres imposibles,   10
paisajes que aparecen
como al través de un tul.

Colores que fundiéndose
remedan en el aire
los átomos del Iris   15
que nadan en la luz.

Ideas sin palabras,
palabras sin sentido;
cadencias que no tienen
ni ritmo ni compás.   20

---

go»). Es también característica la repetición formal de las estrofas, que
aquí constan siempre de tres proposiciones, la primera adjetiva y la última
interrogativa indirecta; en la quinta, el resumidor anafórico «eso» recoge
las incertidumbres anteriores («no se sabe», «nadie acierte», «se ignora»),
que quedan más acentuadas al referirse al *yo* concreto del poeta.

Memorias y deseos
de cosas que no existen;
accesos de alegría,
impulsos de llorar.

Actividad nerviosa   25
que no halla en qué emplearse;
sin riendas que le guíen
caballo volador. [2]

Locura que el espíritu
exalta y desfallece;   30
embrïaguez divina
del genio creador.

Tal es la inspiración.

Gigante voz que el caos
ordena en el cerebro   35
y entre las sombras hace
la luz aparecer,

brillante rienda de oro
que poderosa enfrena
de la exaltada mente   40
el volador corcel.

Hilo de luz que en haces
los pensamientos ata,
sol que las nubes rompe
y toca en el cenit.   45

Inteligente mano
que en un collar de perlas
consigue las indóciles
palabras reunir.

---

[2] Hipérbaton, equivalente a «caballo volador sin riendas que le guíen».

Armonïoso ritmo 50
que con cadencia y número
las fugitivas notas
encierra en el compás.

Cincel que el bloque muerde
la estatua modelando, 55
y la belleza plástica
añade a la ideal.

Atmósfera en que giran
con orden las ideas,
cual átomos que agrupa 60
recóndita atracción.

Raudal en cuyas ondas
su sed la fiebre apaga,
descanso en que el espíritu
recobra su vigor. 65

Tal es nuestra razón.

Con ambas siempre en lucha
y de ambas vencedor,
tan solo al genio es dado
a un yugo atar las dos.[3] 70

---

(3) La dicotomía «inspiración-razón» es el tema de esta rima, tema que
parece tomado del poema de Larrea *El espíritu y la materia*, aunque es muy
común dentro del romanticismo. Bécquer lo presenta expuesto de forma
que las ocho estrofas dedicadas a cada una de las partes queden agrupadas
de dos en dos por la rima y por el significado, de modo que en las dos
primeras la referencia es a lo auditivo, las siguientes (3 y 4), a lo visual, las
5 y 6 a lo intelectivo, etc. Adviértase que la última estrofa es la síntesis de
los dos bloques antitéticos. Otra de las características becquerianas importantes se hace patente: la descripción de imágenes imprecisas.

IV

(39)

No digáis que agotado su tesoro,
de asuntos falta, enmudeció la lira;
podrá no haber poetas; pero siempre
habrá poesía.

Mientras las ondas de la luz al beso   5
palpiten encendidas,
mientras el sol las desgarradas nubes
de fuego y oro vista,
mientras el aire en su regazo lleve
perfumes y armonías,   10
mientras haya en el mundo primavera,
¡habrá poesía!

Mientras la humana ciencia no descubra
las fuentes de la vida,
y en el mar o en el cielo haya un abismo   15
que al cálculo resista,
mientras la humanidad siempre avanzando
no sepa a do[3] camina,
mientras haya un misterio para el hombre,
¡habrá poesía!   20

Mientras se sienta que se ríe el alma,
sin que los labios rían;
mientras se llore, sin que el llanto acuda
a nublar la pupila;

---

[3] *a do:* es arcaísmo, equivalente a *a donde;* Bécquer lo emplea con relativa frecuencia como licencia poética, por exigencias métricas.

mientras el corazón y la cabeza   25
batallando prosigan,
mientras haya esperanzas y recuerdos,
¡habrá poesía!

Mientras haya unos ojos que reflejen
los ojos que los miran,   30
mientras responda el labio suspirando
al labio que suspira,
mientras sentirse puedan en un beso
dos almas confundidas,
mientras exista una mujer hermosa   35
¡habrá poesía![4]

V

(62)

Espíritu sin nombre,
indefinible esencia,
yo vivo con la vida
sin formas de la idea.

Yo nado en el vacío,   5
del sol tiemblo en la hoguera,
palpito entre las sombras
y floto con las nieblas.

---

(4) Es esta rima una de las grandes definiciones de poesía que pueden
haberse hecho. Las cuatro estrofas, explicación de los cuatro primeros
versos, encierran los componentes poéticos becquerianos, y todas ellas, con
su comienzo «mientras» son la subordinación del verso cuarto, «habrá
poesía», y a la vez del verso anterior correspondiente. La estrofa segunda
toca el tema de la modernización de la sociedad, muy común entre los
escritores de la época.

Yo soy el fleco de oro
de la lejana estrella,   10
yo soy de la alta luna
la luz tibia y serena.

Yo soy la ardiente nube
que en el ocaso ondea,
yo soy del astro errante   15
la luminosa estela.

Yo soy nieve en las cumbres,
soy fuego en las arenas,
azul onda en los mares
y espuma en las riberas.   20

En el laúd soy nota,
perfume en la violeta,
fugaz llama en las tumbas
y en las rüinas yedra.

Yo atrueno en el torrente   25
y silbo en la centella
y ciego en el relámpago
y rujo en la tormenta.

Yo río en los alcores, [4]
susurro en la alta yerba,   30
suspiro en la onda pura
y lloro en la hoja seca.

Yo ondulo con los átomos
del humo que se eleva
y al cielo lento sube   35
en espiral inmensa.

---

[4] *alcores:* colinas, collados.

Yo en los dorados hilos
que los insectos cuelgan,
me mezco entre los árboles
en la ardorosa siesta.   40

Yo corro tras las ninfas[5]
que en la corriente fresca
del cristalino arroyo
desnudas juguetean.

Yo en bosques de corales   45
que alfombran blancas perlas,
persigo en el océano
las náyades[6] ligeras.

Yo en las cavernas cóncavas
do[7] el sol nunca penetra,   50
mezclándome a los gnomos[8]
contemplo sus riquezas.

Yo busco de los siglos
las ya borradas huellas
y sé de esos imperios   55
de que ni el nombre queda.

Yo sigo en raudo vértigo
los mundos que voltean,[9]
y mi pupila abarca
la creación entera.   60

---

[5] *ninfas:* deidades que, según la mitología clásica, habitan en las aguas y en los lugares húmedos. [6] *náyades:* ninfas de las fuentes y de los ríos. [7] *do:* arcaísmo equivalente a *donde.* Ver nota 3. En los versos 62 y 63 se encuentran las dos variantes empleadas según lo exige el metro. [8] *gnomos:* genios fantásticos de la tierra que trabajan los veneros de las minas. [9] *voltean:* dan vueltas.

Yo sé de esas regiones
a do un rumor no llega,
y donde informes astros
de vida un soplo esperan.

Yo soy sobre el abismo   65
el puente que atraviesa,
yo soy la ignota[10] escala
que el cielo une a la tierra.

Yo soy el invisible
anillo que sujeta   70
el mundo de la forma
al mundo de la idea.

Yo en fin soy ese espíritu,
desconocida esencia,
perfume misterioso   75
de que es vaso el poeta.[5]

---

[10] *ignota:* desconocida, no descubierta aún.

(5) Es la V una rima clave para la teoría poética de Bécquer, con
contenido similar a fragmentos de la *Carta literaria I* y de las leyendas *Los
ojos verdes, Creed en Dios, Tres fechas, El gnomo,* en las que trata de buscar la
definición del sentimiento del poeta (ver en este sentido los documentos
números 2 y 3). Se acerca también a otras rimas, como la III, y los críticos
han señalado su relación con el poema citado de Larrea, en el que se leen
versos como los siguientes:

> Yo soy del sol la lumbre centellante,
> la tibia luz de la lejana estrella,
> la luna que con rayo vacilante
> pálida alumbra, misteriosa y bella.
> . . . .
> Yo soy la voz del huracán potente
> que girando en revuelto torbellino
> llena de espanto el corazón valiente
> en medio del océano marítimo.

Obsérvese que tras la identificación con la naturaleza (hasta la estrofa 9)
pasa el poeta a ser parte activa sobre la naturaleza (estrofas 10 a 16). La

VI

(57)

Como la brisa que la sangre orea[11]
sobre el oscuro campo de batalla,
cargada de perfumes y armonías
en el silencio de la noche vaga.

Símbolo del dolor y la ternura,   5
del bardo[12] inglés en el horrible drama,[13]
la dulce Ofelia, la razón perdida,[14]
cogiendo flores y cantando pasa.[6]

VII

(13)

Del salón en el ángulo oscuro,
de su dueña tal vez olvidada,
silenciosa y cubierta de polvo,
veíase el arpa.

---

[11] *orea:* del verbo *orear*, dar el aire en algo, quitándole la humedad o el olor.
[12] *bardo:* antiguo poeta celta; con la denominación «bardo inglés» se está refiriendo a Shakespeare. [13] Hipérbaton equivalente a «en el horrible drama del bardo inglés». Con «horrible drama» alude a la obra de Shakespeare, *Hamlet.* [14] Construcción derivada de un ablativo latino, muy común en la literatura clásica, que suele indicar la actitud, el gesto, estado de ánimo, etc.; ha de sobreentenderse la preposición *con* («con la razón perdida»). También puede interpretarse como aposición.

estrofa 18 es la clave del poema y del sentimiento del «yo poeta de Bécquer». La última cierra el círculo del poema al unirse con la primera.

(6) Rica Brown *(Bécquer,* Barcelona, 1963, p. 79) ha descubierto el origen de esta rima, que, al parecer compuso Bécquer para ilustrar a su hermano sobre un cuadro que Valeriano debía componer por encargo: cuando éste le preguntó «¿quién es Ofelia?», la respuesta que Gustavo Adolfo dio fue la rima VI.

¡Cuánta nota dormía en sus cuerdas,   5
como el pájaro duerme en las ramas,
esperando la mano de nieve
que sabe arrancarlas!

¡Ay!, pensé; ¡cuántas veces el genio
así duerme en el fondo del alma,   10
y una voz como Lázaro espera
que le diga «Levántate y anda»![7]

VIII

(25)

¡Cuando miro el azul horizonte
perderse a lo lejos,
al través de una gasa de polvo
dorado e inquieto,
me parece posible arrancarme   5
del mísero suelo
y flotar con la niebla dorada
en átomos leves
cual ella deshecho!

---

(7) Se trata para los críticos del tema romántico de la «sumisión del artista a la inspiración» (Pageard), del idealismo platónico (E. Huertas). El tratamiento del tema que hace en las tres estrofas se encuentra también en la prosa de Bécquer, por ejemplo, como metáfora, en el siguiente fragmento de la *Carta literaria IV*: «Este es el secreto de la muerte prematura y misteriosa de algunas mujeres y de algunos poetas, arpas que se rompen sin que nadie haya arrancado una melodía de sus cuerdas de oro»; o en la *Introducción sinfónica*, como puede verse en el documento 3. Adviértase aquí otra de las constantes formales de Bécquer: la reflexión ante la idea que le produce algo, la visión de un objeto en este caso. Como colofón y síntesis del tema, las palabras del evangelio de San Juan (11, 43) en la resurrección de Lázaro, «*Lazare, veni foras*» («Lázaro, sal fuera»), que simbolizan la idea de la vida otorgada a la obra por el artista.

Cuando miro de noche en el fondo   10
oscuro del cielo
las estrellas temblar como ardientes
pupilas de fuego,
me parece posible a do brillan
subir en un vuelo,   15
y anegarme en su luz, y con ellas
en lumbre encendido
fundirme en un beso.

En el mar de la duda en que bogo[15]
ni aun sé lo que creo;   20
sin embargo estas ansias me dicen
que yo llevo algo
divino aquí dentro.[8]

IX

(27)

Besa el aura[16] que gime blandamente
las leves ondas que jugando riza;
el sol besa a la nube en occidente
y de púrpura y oro la matiza;
la llama en derredor del tronco ardiente   5

---

[15] *bogo:* conduzco, remando, una embarcación. [16] *aura:* viento apacible, suave; es
voz usada preferentemente en poesía.

(8) El poeta vuelve a identificarse con la naturaleza, como en la rima V,
pero aquí mediante la sensación —«me parece posible»—, no con la
expresión metafórica. Véase cómo la mañana y la tarde cobran igual
dimensión en el sentimiento del poeta. Una descripción de visiones difusas,
leves, vagas, sin contornos determinados, mágicas casi en los versos 3-4 y 7-
8, caracterizan la expresión del poema, así como la antítesis «dorado-
negro», con las peculiaridades con que Bécquer suele presentarla.

[handwritten:] deshacer - el contrario de unite / romper

[handwritten:] El métrica de esta Rima son versos endecasílabos de rima libre

58   *Bécquer*

por besar a otra llama se desliza
y hasta el sauce inclinándose a su peso
al río que le besa, vuelve un beso.**(9)**

[handwritten:] introduce elementos de la naturaleza
donde estos se van transformando

X

[handwritten:] (46)   como su corazon
[handwritten:] asonante
[handwritten:] alrededor

Los invisibles átomos del aire
en derredor palpitan y se inflaman,
el cielo se deshace en rayos de oro,
la tierra se estremece alborozada. *[handwritten:]* estar feliz
Oigo flotando en olas de armonías - *[handwritten:]* sonidos agredables* 5
rumor de besos y batir de alas;
mis párpados se cierran... ¿Qué sucede?
¡Es el amor que pasa!**(10)**

[handwritten:] Personificación
[handwritten:] prosopopeya
[handwritten:] cosas en líquido/agua
[handwritten:] que no pesan mucho
[handwritten:] temblor
[handwritten:] lo que ocurre/pasa
[handwritten:] eyelid

XI

[handwritten:] Tiene rimas asonante en los versos pares
así que los impares se (51) quedan sueltos

[handwritten:] apasionada
[handwritten:] A* —Yo soy ardiente, yo soy morena, *[handwritten:]* consonantes
[handwritten:] deseo* *[handwritten:]* B* yo soy el símbolo de la pasión, *[handwritten:]* Asonantes
[handwritten:] A* de ansia de goces mi alma está llena.
[handwritten:] =* ¿A mí me buscas?
[handwritten:] L* —No es a ti: no   5

[handwritten:] 3 mujeres una conversacion.

(9) Se considera esta rima una de las primeras por su corte clásico (una octava real con rima ABABABCC), reminiscencias de la *Égloga I* de Garcilaso y ecos de algunas composiciones tempranas del autor *(A Quintana. La corona de oro*, sobre todo). Sin embargo, obsérvese que los versos 3 y 4 ya muestran matices de un posterior becquerianismo.

(10) Adviértase que el tipo de descripción que puede calificarse de becqueriano por la utilización de imágenes del mundo de la luz y los sentidos, cobra su punto álgido en esta rima.

—Mi frente es pálida, mis trenzas de oro,
puedo brindarte dichas sin fin.
Yo de ternura guardo un tesoro.
¿A mí me llamas?
—No: no es a ti. 10

—Yo soy un sueño, un imposible,
vano fantasma de niebla y luz;
soy incorpórea, soy intangible:
no puedo amarte.
—¡Oh, ven; ven tú!**(11)** 15

XII

(79)

Porque son, niña, tus ojos
verdes como el mar te quejas;
verdes los tienen las náyades,
verdes los tuvo Minerva,
y verdes son las pupilas   5
de las hurís[17] del Profeta.[18]

---

[17] *hurís:* son las mujeres que, según la religión musulmana, acompañarán en el paraíso a los hombres después de su muerte. [18] *Profeta:* se refiere a Mahoma.

(11) La estrofa tercera, clave de la poesía de Bécquer, recuerda pasajes de *El rayo de luna;* las otras dos, en las que de nuevo encontramos la dualidad «dorado-negro» (aquí «rubia-morena»), que aplicada a la mujer refleja la polarización de dos caracteres, se corresponde con la descripción de las dos hermanas en *El gnomo:* «Marta tenía los ojos más negros que la noche, y de entre sus oscuras pestañas diríase que a intervalos saltaban chispas de fuego [...]. La pupila azul de Magdalena parecía nadar en un fluido de luz dentro del cerco de oro de sus pestañas rubias.»

El verde es gala y ornato
del bosque en la primavera.
Entre sus siete colores
brillante el Iris lo ostenta.   10
Las esmeraldas son verdes,
verde el color del que espera
y las ondas del Océano
y el laurel de los poetas.

*   *   *

Es tu mejilla temprana   15
rosa de escarcha cubierta,
en que el carmín de los pétalos
se ve al través de las perlas.
   Y sin embargo,
   sé que te quejas,   20
   porque tus ojos
   crees que la afean:
   pues no lo creas.
Que parecen sus pupilas,
húmedas, verdes e inquietas,   25
tempranas hojas de almendro
que al soplo del aire tiemblan.

*   *   *

Es tu boca de rubíes
purpúrea granada abierta
que en el estío convida   30
a apagar la sed con ella.
   Y sin embargo,
   sé que te quejas,
   porque tus ojos
   crees que la afean: 35
   pues no lo creas.

Que parecen, si enojada
tus pupilas centellean,
las olas del mar que rompen
en las cantábricas peñas.   40

* * *

Es tu frente que corona
crespo el oro[19] en ancha trenza,
nevada cumbre en que el día
su postrera luz refleja.
  Y sin embargo,   45
  sé que te quejas,
  porque tus ojos
  crees que la afean:
  pues no lo creas.
Que, entre las rubias pestañas,   50
junto a las sienes, semejan
broches de esmeralda y oro
que un blanco armiño sujetan.

Porque son, niña, tus ojos
verdes como el mar te quejas;   55
quizás si negros o azules
se tornasen lo sintieras.[12]

---

[19] *crespo el oro:* pelo rubio rizado.

(12) Comienza en la rima XII la segunda serie, según la clasificación de
J. P. Díaz, es decir, la del amor. El tema coincide con el de la leyenda *Los
ojos verdes*, y las imágenes son complejas y sumamente plásticas. El color
verde de los ojos ha sido un motivo literario desde antiguo, y Bécquer
parece especialmente atraído por él.

XIII

(29)

Tu pupila es azul y cuando ríes
su claridad süave me recuerda
el trémulo fulgor de la mañana
que en el mar se refleja.

Tu pupila es azul y cuando lloras   5
las trasparentes lágrimas en ella
se me figuran gotas de rocío
sobre una vïoleta.

Tu pupila es azul y si en su fondo
como un punto de luz radia una idea   10
me parece en el cielo de la tarde
una perdida estrella.[13]

---

(13) Fue la primera rima publicada por Bécquer, y lo hizo con el título *Imitación a Byron*. Nótese que la estructura es la típica becqueriana: antítesis («ríes-lloras»), gradación temporal («mañana-tarde»), elementos de la naturaleza como comparaciones («mar-cielo»), paralelismos formales entre estrofas, descripciones de ámbitos imprecisos, rimas alternas asonantes (en é-a), versos de once y siete sílabas, etc. Algunos fragmentos de *El caudillo de las manos rojas* y de *Rosa de pasión* recuerdan esta rima, así como el comienzo de la *Carta literaria I:* «En tus pupilas húmedas y azules como el cielo de la noche brillaba un punto de luz.» El motivo de la gota de rocío es muy del gusto de Bécquer, así como el de la pupila azul, que también utilizan con frecuencia los poetas románticos. Por el tema y el título esta rima se ha asociado con la canción de Byron, *I saw thee weep (Te vi llorar)*, cuya traducción puede ser como sigue:

> Te vi llorar: —una gran lágrima brillante
>   inundó ese tu ojo azul,
> y entonces pensé que parecía
>   una violeta goteando rocío.

En el *Libro de los Gorriones* la segunda estrofa está ligeramente subrayada, tal vez por su aspecto de cita, piensa Geoffrey W. Ribbans. Esta es la razón por la que se transcribe en letra cursiva.

XIV

(72)

Te vi un punto y flotando ante mis ojos
la imagen de tus ojos se quedó,
como la mancha oscura orlada en fuego
que flota y ciega si se mira al sol.

Y dondequiera que la vista clavo   5
torno a ver sus pupilas llamear;
mas no te encuentro a ti, que es tu mirada,
unos ojos, los tuyos, nada más.

De mi alcoba en el ángulo los miro
desasidos fantásticos lucir: 10
cuando duermo los siento que se ciernen
de par en par abiertos sobre mí.

Yo sé que hay fuegos fatuos[20] que en la noche
llevan al caminante a perecer:
yo me siento arrastrado por tus ojos,   15
pero adónde me arrastran no lo sé.[14]

---

[20] *fuegos fatuos:* pequeñas llamas que se forman por la inflamación de materias putrefactas de animales y vegetales.

(14) Díez Taboada incluye esta rima en un epígrafe titulado «La mujer de ojos desasidos». Adviértase que el tema y su tratamiento no son extraños a la poesía romántica (ante todo las pupilas que llamean, los ojos fulgurantes, el fuego y la luz de las pupilas, etc.), pero en Bécquer expresan su percepción, su sensación profunda. El cuento *Un boceto del natural*, publicado en 1863 en *El Contemporáneo*, tiene un fragmento similar; refiriéndose a los ojos de una muchacha dice: «Eran pardos, pero tan grandes, tan desmesuradamente abiertos, tan fijos, tan cercados de sombra misteriosa, tan llenos de reflejos de una claridad extraña, que al mirarlos de frente

XV

(60)

Cendal[21] flotante de leve bruma,
rizada cinta de blanca espuma,
rumor sonoro
de arpa de oro,
beso del aura, onda de luz,   5
eso eres tú.

¡Tú, sombra aérea, que cuantas veces
voy a tocarte te desvaneces.
Como la llama, como el sonido,
como la niebla, como el gemido   10
del lago azul![22]

En mar sin playas onda sonante,
en el vacío cometa errante,
largo lamento
del ronco viento,   15
ansia perpetua de algo mejor,
eso soy yo.

----

[21] *cendal:* tela fina de seda o lino.   [22] Es ésta una de las dos expresiones de la rima que Pageard califica de «misteriosas»; puede tratarse del mar.

~~~~~~

experimenté una especie de alucinación y bajé al suelo la mirada. Bajé la mirada, pero aquellos dos ojos tan claros y tan grandes, desasidos del rostro a que pertenecían, me pareció que se quedaban solos y flotando en el aire ante mi vista, como después de mirar al sol se quedan flotando por largo tiempo unas manchas de colores ribeteados de azul.»

¡Yo, que a tus ojos en mi agonía
los ojos vuelvo de noche y día;
yo, que incansable corro y demente   20
tras una sombra, tras la hija ardiente
de una visión![23] (15)

XVI

(43)

Si al mecer las azules campanillas[24]
    de tu balcón
crees que suspirando pasa el viento
    murmurador,
sabe que oculto entre las verdes hojas   5
    suspiro yo.

---

[23] En las *Cartas literarias a una mujer*, dice Bécquer refiriéndose a las ideas literarias: «Estas ligeras y ardientes hijas de la sensación duermen allí agrupadas en el fondo de mi memoria.» Tal vez se trate aquí de la misma expresión. Sobre esta idea de Bécquer, véase asimismo el documento número 3. [24] *campanillas:* flores de las enredaderas y otras plantas; el nombre se debe a su forma acampanada, ya que la corola es de una sola pieza.

(15) Es la rima XV una de las más publicadas en vida de Bécquer. La primera vez que sale a luz es en 1860 con el título *Tú y yo. Melodía*. En el *Libro de los gorriones*, por el contrario, aparece sin título. El tema de la antítesis «yo-tú» tuvo gran vigencia entre los años 1850 a 1870; de hecho, en varias rimas, Bécquer emplea estos pronombres. La crítica ha resaltado la relación de la rima XV con un poema de Selgas quien, a decir de Pageard, «puso de moda en Madrid una atmósfera de bruma galante a lo Watteau»; el poema en cuestión es el titulado *La mañana y la tarde*, una de cuyas estrofas dice:

> Tú eres la luz gentil, risueña y vaga
> de que hace el alba azul altivo alarde;
> yo soy luz que se apaga,
> soy vapor de la tarde.

Si al resonar confuso a tus espaldas
    vago rumor,
crees que por tu nombre te ha llamado
    lejana voz,   10
sabe que entre las sombras que te cercan
    te llamo yo.

Si se turba medroso[25] en la alta noche
    tu corazón,
al sentir en tus labios un aliento   15
    abrasador,
sabe que, aunque invisible, al lado tuyo
    respiro yo.[(16)]

[handwritten annotations: la mujer es amor en poemas romanticos; Anáfora; Personificación; ella; estan feliz; Amor - muy contente y alegre; a la mujer; palabras naturaleza; Asonante; muy dramatico]

XVII

    (50)
Hoy la tierra y los cielos me sonríen,
hoy llega al fondo de mi alma el sol,
hoy la he visto..., la he visto y me ha mirado...
¡hoy creo en Dios![(17)]

---

[25] *medroso:* temeroso.

(16) Otro de los motivos cultivados por Bécquer es el de las campanillas azules, que suele presentar con el adjetivo antepuesto. Obsérvese cómo la antítesis yo-tú parece diluirse al ir la segunda persona expresada sólo por los tiempos verbales y los posesivos, frente al pronombre en primera persona, tónico y final de verso. Versos eneasílabos libres y pentasílabos con rima aguda en ó, que a su vez son encabalgamientos, apoyan los contrastes a nivel rítmico y sintáctico. El título *Serenata* con que fue publicado en *El Museo Universal* en 1866, alude a un ambiente exterior y nocturno, y el poema en sí, lleno de connotaciones musicales, es un verdadero alarde de sinestesias y adecuación sonido-sentido.

(17) Algunas rimas, por su brevedad, precisión y agudeza, así como por la expresión de un único pensamiento, cobran aire de epigramas, como ocurre con la XVII.

XVIII

(6)

Fatigada del baile,
encendido el color, breve el aliento,
apoyada en mi brazo
del salón se detuvo en un extremo.[26]

Entre la leve gasa 5
que levantaba el palpitante seno,
una flor se mecía
en compasado y dulce movimiento.

Como en cuna de nácar
que empuja el mar y que acaricia el céfiro,[27] 10
tal vez allí dormía
al soplo de sus labios entreabiertos.

¡Oh! ¡quién así, pensaba,
dejar pudiera deslizarse el tiempo!
¡Oh! si las flores duermen, 15
¡qué dulcísimo sueño!(18)

---

[26] Hipérbaton equivalente a «se detuvo en un extremo del salón».   [27] *céfiro:* viento suave; el uso de la voz es poético.

(18) Obsérvese que es esta rima ejemplo por excelencia de las composiciones en las que la última estrofa es la reflexión provocada por la imagen descrita, imagen que, por su parte, se ajusta a las becquerianas de esta serie.

XIX

(52)

Cuando sobre el pecho inclinas
la melancólica frente,
una azucena tronchada
me pareces.

Porque al darte la pureza   5
de que es símbolo celeste,
como a ella te hizo Dios
de oro y nieve.[19]

XX

(37)

Sabe[28] si alguna vez tus labios rojos
quema invisible atmósfera abrasada,
que el alma que hablar puede con los ojos
también puede besar con la mirada.[20]

---

[28] *sabe:* forma imperativa del verbo *saber* que marca la función apelativa.

[19] Emplea imágenes muy similares a las que retratan a Constanza en *La corza blanca.*

[20] Es posible que se trate de una rima antigua (entre 1857 y 1860). Parece la forma culta de una copla popular que también utiliza Ferrán.

es una conversación de ella y el autor:

azul = pureza

XXI

(21)

¿Qué es poesía?, dices mientras clavas
en mi pupila tu pupila azul;
¡Qué es poesía! ¿Y tú me lo preguntas?
Poesía... eres tú.(21)

mirar intensamente
endecasílabos
Ason,
Ason,
ella

XXII

(19)

¿Cómo vive esa rosa que has prendido
junto a tu corazón?
Nunca hasta ahora contemplé en el mundo
junto al volcán la flor.

XXIII   *amor*

(22)

Por una mirada, un mundo;
por una sonrisa, un cielo;
por un beso... ¡yo no sé
qué te diera por un beso!(22)

a look
asonante
reflexión
(not consonante b/c the 4th verso doesn't end in -elo)

(21) Idea clave de Bécquer que también pone de manifiesto en la *Carta literaria I* y en la rima XIII.

(22) En dos publicaciones distintas (de 1861 y 1866, respectivamente) lleva dos títulos, *A ella* y *¡No sé!* Es posible que Bécquer se inspirara en un canto popular; Frutos de las Cortinas aduce una cantiga portuguesa del *Cancionero popular* de Teófilo de Braga, muy similar:

> Por um teu mais terno olhar
> dera da vida a metade,
> num sorriso dera a vida,
> por un beijo a eternidade.

XXIV

(33)

Dos rojas lenguas de fuego
que a un mismo tronco enlazadas
se aproximan, y al besarse
forman una sola llama.

Dos notas que del laúd   5
a un tiempo la mano arranca,
y en el espacio se encuentran
y armonïosas se abrazan.

Dos olas que vienen juntas
a morir sobre una playa   10
y que al romper se coronan
con un penacho de plata.

Dos jirones de vapor
que del lago se levantan,
y al juntarse allá en el cielo   15
forman una nube blanca.

Dos ideas que al par brotan,
dos besos que a un tiempo estallan,
dos ecos que se confunden,
eso son nuestras dos almas.   20

XXV

(31)

Cuando en la noche te envuelven
las alas de tul del sueño
y tus tendidas pestañas
semejan arcos de ébano,
por escuchar los latidos   5
de tu corazón inquieto
y reclinar tu dormida
cabeza sobre mi pecho,
    diera, alma mía,
    cuanto poseo,   10
    ¡la luz, el aire
    y el pensamiento!

Cuando se clavan tus ojos
en un invisible objeto
y tus labios ilumina   15
de una sonrisa el reflejo,
por leer sobre tu frente
el callado pensamiento
que pasa como la nube
del mar sobre el ancho espejo,   20
    diera, alma mía,
    cuanto deseo,
    ¡la fama, el oro,
    la gloria, el genio!

Cuando enmudece tu lengua   25
y se apresura tu aliento,
y tus mejillas se encienden
y entornas tus ojos negros,
por ver entre sus pestañas

brillar con húmedo fuego   30
la ardiente chispa que brota
del volcán de los deseos,
    diera, alma mía,
    por cuanto espero,
    la fe, el espíritu,   35
    la tierra, el cielo.[23]

XXVI

(7)

Voy contra mi interés al confesarlo,
no obstante, amada mía,
pienso cual tú que una oda[29] sólo es buena
de un billete del Banco al dorso escrita.
No faltará algún necio que al oírlo   5
se haga cruces y diga:
    Mujer al fin del siglo diez y nueve
material y prosaica.[30] ¡Boberías!
    ¡Voces que hacen correr cuatro poetas
que en invierno se embozan con la lira.[31]   10

---

[29] *oda:* composición poética de carácter lírico.   [30] *prosaica:* falta de sensibilidad, vulgar.   [31] *lira:* instrumento musical de cuerdas; en sentido figurado simboliza el canto del poeta.

(23) De nuevo la gradación; aquí de su actitud frente a la situación o ademán de la mujer: 'tengo', 'deseo' y 'espero', verbos correspondientes, respectivamente, a 'dormida', 'pensativa', 'anhelante'. La rima asonante é-o se mantiene en todo el poema, y el metro, combinación de versos de ocho y cinco sílabas, es el mismo que el de la rima XII, aunque con distinta disposición; aquí los cuatro últimos versos de cada estrofa se repiten con variantes léxicas a modo de estribillo. Obsérvese que en los sintagmas nominales de los versos últimos también se da la gradación en consonancia con los verbos que los introducen y, por tanto, con el sentir del poeta: la luz, el aire y el pensamiento están dentro de él, lo demás forma parte de sus deseos y esperanzas.

¡Ladridos de los perros a la luna!
Tú sabes y yo sé que en esta vida,
con genio es muy contado el que *la escribe*,
y con oro cualquiera *hace* poesía.[24]

XXVII

(63)

Despierta, tiemblo al mirarte,
dormida, me atrevo a verte;
por eso, alma de mi alma,
yo velo mientras tú duermes.

Despierta ríes y al reír tus labios   5
inquietos me parecen
relámpagos de grana que serpean
sobre un cielo de nieve.

Dormida, los extremos de tu boca
pliega sonrisa leve,   10
süave como el rastro luminoso
que deja un sol que muere.

¡Duerme!

Despierta miras y al mirar, tus ojos
húmedos resplandecen,   15
como la onda azul en cuya cresta
chispeando el sol hiere.

---

(24) Nótese que hay un tono de acritud y sarcasmo en esta rima, tono
que responde a la postura romántica contra la sociedad decimonónica. Por
esta razón el lenguaje pasa a ser denotativo y el sustantivo «oro» conserva
su sentido real. En las rimas XXV y LXXII también tiene este significado,
aunque el contexto es distinto.

Al través de tus párpados, dormida,
tranquilo fulgor vierten,
cual derrama de luz templado rayo   20
lámpara trasparente.

¡Duerme!

Despierta hablas y al hablar, vibrantes
tus palabras parecen
lluvia de perlas que en dorada copa   25
se derrama a torrentes.

Dormida en el murmullo de tu aliento
acompasado y tenue
escucho yo un poema que mi alma
enamorada entiende.

                                           30

¡Duerme!

Sobre el corazón la mano
me he puesto porque[32] no suene
su latido y de la noche
turbe la calma solemne.   35

De tu balcón las persianas
cerré ya porque no entre
el resplandor enojoso
de la aurora y te despierte.

¡Duerme![(25)]   40

---

[32] *porque:* para que; valor final.

(25) Fue publicada la rima XXVII en 1863 con el título *Duerme*. Suele relacionarse con Josefina Espín, pues en su álbum se encuentra el primer autógrafo de esta rima, fechado en mayo de 1860. De nuevo el tema de la

XXVIII

(58)

Cuando entre la sombra oscura
perdida una voz murmura
turbando su triste calma,
si en el fondo de mi alma
la oigo dulce resonar,   5

dime: ¿es que el viento en sus giros
se queja, o que tus suspiros
me hablan de amor al pasar?

Cuando el sol en mi ventana
rojo brilla a la mañana   10
y mi amor tu sombra evoca,
si en mi boca de otra boca
sentir creo la impresión,

---

mujer dormida, que desarrolla en ocho estrofas con versos alternantes de
once y siete sílabas y rima alterna asonante é-e; el desarrollo lo hace a
partir de una consideración inicial en que plantea la antítesis «dormida»-
«despierta» en versos de ocho sílabas. El tema es común entre los poetas del
siglo XIX, y guarda analogías con algunas composiciones conocidas, como el
siguiente cantar de Heine, traducido por Ferrán:

> Yo te he visto dormida
> y te he visto agitada;
> ¿Los sueños te dan vida?
> ¿Lo real no te da nada?

> Despiertas... Ya la calma
> lució tras el beleño:
> ¡Cuán hermosa es tu alma,
> ay, bella como un sueño!

dime: ¿es que ciego deliro,
o que un beso en un suspiro   15
me envía tu corazón?

Y en el luminoso día
y en la alta noche sombría,
si en todo cuanto rodea
al alma que te desea   20
te creo sentir y ver,

dime: ¿es que toco y respiro
soñando, o que en un suspiro
me das tu aliento a beber?[26]

XXIX

(53)

La bocca mi bacció tutto tremante...

Sobre la falda tenía
el libro abierto,
en mi mejilla tocaban
sus rizos negros:
no veíamos las letras   5
ninguno, creo,
mas guardábamos ambos
hondo silencio.

---

(26) Según Pageard esta rima pertenece a lo que puede considerarse «poesía de ensayo, cultivada por Bécquer de manera mucho más consciente de lo que habitualmente se piensa», y la relaciona, por su estructura e idea poética, con la rima XVI. Nótese que la gradación temporal —noche, amanecer, día— es inversa a la que sigue en otras rimas. Aparece otro de los elementos formales que en adelante encontraremos con frecuencia, la interrogación retórica.

¿Cuánto duró? Ni aun entonces
pude saberlo.   10
Sólo sé que no se oía
más que el aliento,
que apresurado escapaba
del labio seco.
Sólo sé que nos volvimos   15
los dos a un tiempo
y nuestros ojos se hallaron
y sonó un beso.
....
....
Creación de Dante era el libro,
era su Infierno.   20
Cuando a él bajamos los ojos
yo dije trémulo:
¿Comprendes ya que un poema
cabe en un verso?
Y ella respondió encendida: 25
—¡Ya lo comprendo!(27)

---

(27) Parece la rima una recreación dramática del fragmento del *Infierno*
de Dante (Canto V) en que Paolo Malatesta besa a Francesca da Rimini
mientras leen *Lanzarote del Lago*, donde, a su vez, Lanzarote besa a Gine-
bra. Las alusiones al pasaje son claras, así como la cita que precede a la
rima: «La boca me besó temblando todo.» La escena fue muy del gusto de
los románticos —inspiró también a Chateaubriand y Musset— y fue ilus-
trada por Doré para una edición bilingüe de Hachette. Con la alusión
final en la que Bécquer se refiere al verso citado de Dante, vuelve al tema
de la poesía.

[handwritten: Empezo los poemas sobre amor roto]

Bécquer

XXX

(40)

Asomaba a sus ojos una lágrima
y a mi labio una frase de perdón;
[handwritten: Personificación] habló el orgullo y se enjugó su llanto,
y la frase en mis labios expiró.

[handwritten: metáfora: vida=]

Yo voy por un camino; ella, por otro; *[handwritten: camino]* 5
pero al pensar en nuestro mutuo amor,
yo digo aún ¿por qué callé aquel día?
Y ella dirá ¿por qué no lloré yo?[28]

[handwritten: paralelismo]

XXXI

(30) *[handwritten: Tema de amor triste porque la chica se roto la relación con el chico]*

[handwritten: rimas libres]
[handwritten: metáfora →] Nuestra pasión fue un trágico sainete
en cuya absurda fábula
[handwritten: serio] lo cómico y lo grave confundidos
risas y llanto arrancan.

[handwritten: → pull out, sacan]

[handwritten: al fin de nuestra relación] Pero fue lo peor de aquella historia
que al fin de la jornada *[handwritten: → un día del trabajo]* 5
a ella tocaron lágrimas y risas
y a mí, sólo las lágrimas.

---

(28) La rima XXX abre las denominadas «de ruptura», con carácter autobiográfico, o la serie tercera de las establecidas por J. P. Díaz, correspondiente al «desengaño y el fracaso amoroso». En esta rima y en las siguientes está presente el sentimiento de amargura por la relación entre caracteres opuestos.

XXXII

(73)

Pasaba arrolladora en su hermosura
y el paso le dejé;
ni aun a mirarla me volví, y, no obstante,
algo a mi oído murmuró: «*ésa es*».

¿Quién reunió la tarde a la mañana?   5
Lo ignoro; sólo sé
que en una breve noche de verano
se unieron los crepúsculos, y... «*fue*».

XXXIII

(69)

Es cuestión de palabras, y no obstante
ni tú ni yo jamás,
después de lo pasado, convendremos
en quién la culpa está.

¡Lástima que el Amor un diccionario   5
no tenga donde hallar
cuándo el orgullo es simplemente orgullo
y cuándo es dignidad!

XXXIV

(65)

Cruza callada, y son sus movimientos
silenciosa armonía:
suenan sus pasos y al sonar recuerdan
del himno alado la cadencia rítmica.

Los ojos entreabre, aquellos ojos   5
tan claros como el día,
y la tierra y el cielo, cuanto abarcan,
arden con nueva luz en sus pupilas.

Ríe, y su carcajada tiene notas
del agua fugitiva: 10
llora, y es cada lágrima un poema
de ternura infinita.

Ella tiene la luz, tiene el perfume,
el color y la línea,
la forma engendradora de deseos,   15
la expresión, fuente eterna de poesía.

¿Qué es estúpida? ¡Bah! Mientras callando
guarde oscuro el enigma,
siempre valdrá lo que yo creo que calla
más que lo que cualquiera otra me diga.   20

XXXV

(78)

¡No me admiró tu olvido! Aunque de un día
me admiró tu cariño mucho más,
porque lo que hay en mí que vale algo,
eso... ni lo pudiste sospechar.

XXXVI

(54)

Si de nuestros agravios en un libro
se escribiese la historia
y se borrase en nuestras almas cuanto
se borrase en sus hojas;

te quiero tanto aún; dejó en mi pecho   5
tu amor huellas tan hondas,
que sólo con que tú borrases una
¡las borraba yo todas!

XXXVII

(28)

Antes que tú me moriré: escondido
en las entrañas ya
el hierro llevo con que abrió tu mano
la ancha herida mortal.

Antes que tú me moriré; y mi espíritu   5
en su empeño tenaz
se sentará a las puertas de la Muerte,
esperándote allá.

Con las horas los días, con los días
los años volarán,   10
y a aquella puerta llamarás al cabo...
¿Quién deja de llamar?

Entonces que tu culpa y tus despojos
la tierra guardará,
lavándote en las ondas de la muerte   15
como en otro Jordán.[33]

Allí donde el murmullo de la vida
temblando a morir va,
como la ola que a la playa viene
silenciosa a expirar.   20

Allí donde el sepulcro que se cierra
abre una eternidad,
todo cuanto los dos hemos callado
allí lo hemos de hablar.[(29)]

XXXVIII

Tema: Amor

(4)

Donde van los sentimientos

¡Los suspiros son aire y van al aire!
¡Las lágrimas son agua y van al mar!
Dime, mujer, cuando el amor se olvida, *palabra más importante*
una pregunta retórica —¿sabes tú adónde va?[(30)]
asonante

---

[33] *Jordán:* río en el que, según los Evangelios, fue bautizado Cristo. Guarda relación con la palabra «culpa» del primer verso de la estrofa.

(29) Adviértase que comienza la rima XXXVII con la mención de la muerte, que en adelante será tema común. El «hierro» y la «herida» aparecen como motivos, y la alusión al tiempo cobra matices distintos al ir unido a los conceptos de muerte y eternidad.

(30) Sobre el aire epigramático de la rima XXXVIII (véase **17**), los críticos señalan su relación con formas populares de la misma procedencia que la versión de Ferrán en *La soledad*, que dice:

Los elementos son cuatro
agua y aire, tierra y fuego;
y en otro mundo sin nombre
hay otros cuatro elementos.

XXXIX

(75)

¿A qué me lo decís? Lo sé: es mudable,[34]
es altanera[35] y vana y caprichosa;
antes que el sentimiento de su alma,
brotará el agua de la estéril roca.

Sé que en su corazón, nido de sierpes,
no hay una fibra que al amor responda;   5
que es una estatua inanimada...; pero...
¡es tan hermosa!

XL

(66)

Su mano entre mis manos,
sus ojos en mis ojos,
la amorosa cabeza
apoyada en mi hombro,
Dios sabe cuántas veces   5
con paso perezoso
hemos vagado juntos
bajo los altos olmos

---

[34] *mudable*: de temperamento cambiante, desequilibrado.   [35] *altanera*: soberbia,
altiva.

En él el agua son lágrimas;
el aire vanos deseos;
el fuego continuas luchas;
la tierra remordimiento.

Sin embargo, obsérvese que aquí el tema cobra la dimensión becqueriana específica: en la más absoluta estilización, una alusión simple y una
pincelada escueta sobre cuatro ideas —aire, agua, mujer, amor— cargan
los versos del más profundo contenido poético.

que de su casa prestan
misterio y sombra al pórtico.   10
Y ayer... un año apenas,
pasado como un soplo,
con qué exquisita gracia,
con qué admirable aplomo,
me dijo al presentarnos   15
un amigo oficioso:[36]
«Creo que en alguna parte
he visto a usted.» ¡Ah bobos,
que sois de los salones
comadres de buen tono   20
y andabais allí a caza
de galantes embrollos;
qué historia habéis perdido,
qué manjar tan sabroso
para ser devorado   25
sotto voce[37] en un corro
detrás del abanico
de plumas y de oro!

. . . .

¡Discreta y casta luna,
copudos y altos olmos,   30
paredes de su casa,
umbrales de su pórtico,
callad y que el secreto
no salga de vosotros!

Callad, que por mi parte   35
yo lo he olvidado todo:
y ella... ella, no hay máscara
semejante a su rostro.[31]

---

[36] *oficioso:* solícito, amable.   [37] *sotto voce:* expresión italiana que significa 'en voz baja'.

(31) Esta rima contiene, como la XVIII, alusiones a la vida social decimonónica. En ella, como en la XXVI, ofrece Bécquer una visión negativa.

Handwritten annotations:
Pasado porque es una
relación terminado
una reflección de
sus problemas

los dos estaban
enamorado

XLI

(26)

dual

Tú eras el huracán y yo la alta
torre que desafía su poder:
¡tenías que estrellarte o que abatirme!
¡No pudo ser! — consonante

} cuartetos

Tú eras el océano y yo la enhiesta   5
roca que firme aguarda su vaivén; — asonante
¡tenías que romperte o que arrancarme!
¡No pudo ser!

Hermosa tú, yo altivo: acostumbrados
uno a arrollar, el otro a no ceder: 10
la senda estrecha, inevitable el choque...
¡No pudo ser!(32)   estribillo   la naturaleza
consonante

XLII

(16)

apoyé- to back; support

when they told me it I felt cold
Cuando me lo contaron sentí el frío   A
of a sheet of steel in the heart
de una hoja de acero en las entrañas,   B
me apoyé contra el muro, y un instante   C
lost consciousness where I was
la conciencia perdí de dónde estaba.   B

***

(32) De nuevo la antítesis «yo-tú» con los pronombres expresos, y de nuevo la imagen de los caracteres irreconciliables expresada con metáforas simples del tipo «A es B».

Cayó sobre mi espíritu la noche   5
en ira y en piedad se anegó[38] el alma
¡y entonces comprendí por qué se llora
y entonces comprendí por qué se mata!

Pasó la nube de dolor... con pena
logré balbucear breves palabras...   10
¿quién me dio la noticia?... Un fiel amigo...
Me hacía un gran favor... Le di las gracias.

XLIII

(34)

Dejé la luz a un lado y en el borde
de la revuelta cama me senté,
mudo, sombrío, la pupila inmóvil
clavada en la pared.

¿Qué tiempo estuve así? No sé: al dejarme   · 5
la embrïaguez horrible de dolor,
expiraba la luz y en mis balcones
reía el sol.

Ni sé tampoco en tan terribles horas
en qué pensaba o que pasó por mí;   10
sólo recuerdo que lloré y maldije,
y que en aquella noche envejecí.

---

[38] *se anegó:* se hundió, se abrumó.

XLIV

(10)

Como en un libro abierto
leo de tus pupilas en el fondo.
¿A qué fingir el labio
risas que se desmienten con los ojos?

¡Llora! No te avergüences   5
de confesar que me quisiste un poco.
¡Llora! Nadie nos mira.
Ya ves; yo soy un hombre... y también lloro.

XLV

(3)

En la clave[39] del arco mal seguro
cuyas piedras el tiempo enrojeció,
obra de cincel rudo campeaba[40]
el gótico blasón.

Penacho[41] de su yelmo[42] de granito,   5
la yedra que colgaba en derredor
daba sombra al escudo en que una mano
tenía un corazón.

A contemplarle en la desierta plaza
nos paramos los dos.   10
Y, ese, me dijo, es el cabal[43] emblema[44]
de mi constante amor.

---

[39] *clave:* piedra que cierra un arco. [40] *campeaba:* sobresalía. [41] *penacho:* adorno de plumas. [42] *yelmo:* armadura que cubría la cabeza y la cara, compuesta de morrión, visera y babera. [43] *cabal:* justo, ajustado. [44] *emblema:* símbolo o jeroglífico con un lema inscrito que contiene alguna alusión.

¡Ay! es verdad lo que me dijo entonces:
  Verdad que el corazón
lo llevará en la mano... en cualquier parte...   15
pero en el pecho no.[33]

XLVI

(77)

  Me ha herido recatándose[45] en las sombras,
sellando con un beso su traición.
Los brazos me echó al cuello y por la espalda
partióme a sangre fría el corazón.

  Y ella prosigue alegre su camino,   5
feliz, risueña, impávida, ¿y por qué?
Porque no brota sangre de la herida,
porque el muerto está en pie.

XLVII

(2)

  Yo me he asomado a las profundas simas
de la tierra y del cielo,
y les he visto el fin o con los ojos
o con el pensamiento.

Mas ¡ay! de un corazón llegué al abismo   5
y me incliné un momento,
y mi alma y mis ojos se turbaron:
¡Tan hondo era y tan negro!

---

[45] *recatándose:* encubriéndose, ocultándose.

(33) La rima XLV es la descripción de un entorno artístico —parece que de Toledo— similar a las que hace en algunas leyendas y textos en prosa.

XLVIII

(1)

Como se arranca el hierro de una herida
su amor de las entrañas me arranqué,
aunque sentí al hacerlo que la vida
me arrancaba con él.

Del altar que le alcé en el alma mía   5
la Voluntad su imagen arrojó,
y la luz de la fe que en ella ardía
ante el ara desierta se apagó.

Aun para combatir mi firme empeño
viene a mi mente su visión tenaz...   10
¡Cuándo podré dormir con ese sueño
en que acaba el soñar![34]

XLIX

(14)

Alguna vez la encuentro por el mundo
y pasa junto a mí,
y pasa sonriéndose y yo digo
¿Cómo puede reír?

Luego asoma a mi labio otra sonrisa   5
máscara del dolor,
y entonces pienso: —Acaso ella se ríe,
como me río yo.

---

(34) Identificación de sueño y muerte, tras elaborar una exposición de
sentimiento desgarrado con los motivos «hierro», «herida» y «fe».

L

(12)

Lo que el salvaje que con torpe mano
hace de un tronco a su capricho un dios
y luego ante su obra se arrodilla,
eso hicimos tú y yo.

Dimos formas reales a un fantasma   5
de la mente ridícula invención
y hecho el ídolo ya, sacrificamos
en su altar nuestro amor.

LI

(70)

De lo poco de vida que me resta
diera con gusto los mejores años,
por saber lo que a otros
de mí has hablado.

Y esta vida mortal y de la eterna   5
lo que me toque, si me toca algo,
por saber lo que a solas
de mí has pensado.

LII

(35)

Olas gigantes que os rompéis bramando
en las playas desiertas y remotas,
envuelto entre la sábana de espumas,
¡llevadme con vosotras!

Ráfagas de huracán que arrebatáis   5
del alto bosque las marchitas hojas,
arrastrado en el ciego torbellino,
¡llevadme con vosotras!

Nubes de tempestad que rompe el rayo
y en fuego ornáis las desprendidas orlas,   10
arrebatado entre la niebla oscura,
¡llevadme con vosotras!

Llevadme por piedad a donde el vértigo
con la razón me arranque la memoria.
¡Por piedad! ¡Tengo miedo de quedarme   15
con mi dolor a solas!(35)

LIII

(38)

Volverán las oscuras golondrinas
en tu balcón sus nidos a colgar,
y otra vez con el ala a sus cristales
jugando llamarán.

---

(35) Comienza con la rima LII la serie cuarta de «angustia final y desesperanza», según la clasificación de J. P. Díaz.

Pero aquéllas que el vuelo refrenaban
tu hermosura y mi dicha a contemplar,[46]   5
aquéllas que aprendieron nuestros nombres...
ésas... ¡no volverán!

Volverán las tupidas madreselvas
de tu jardín las tapias a escalar   10
y otra vez a la tarde aún más hermosas
sus flores se abrirán.

Pero aquellas cuajadas de rocío
cuyas gotas mirábamos temblar
y caer como lágrimas del día...   15
ésas... ¡no volverán!

Volverán del amor en tus oídos
las palabras ardientes a sonar,
tu corazón de su profundo sueño
tal vez despertará.   20

Pero mudo y absorto y de rodillas
como se adora a Dios ante su altar,
como yo te he querido... desengáñate,
así... ¡no te querrán![(36)]

---

[46] En el *Libro de los gorriones* y en la edición de 1871 figura «a contemplar», con sentido de finalidad ('para contemplar'), aunque muchas ediciones posteriores hayan cambiado la expresión por «al contemplar», con valor temporal.

(36) Es la LIII una de las rimas más populares. Obsérvese cómo en ella el tema del paso inexorable del tiempo se une al del amor, expresado en principio con el posesivo «tu», cargado de connotaciones, y de manera explícita en la última estrofa.

LIV

(36)

Cuando volvemos las fugaces horas
del pasado a evocar,
temblando brilla en sus pestañas negras
una lágrima pronta a resbalar.

Y al fin resbala y cae como gota   5
de rocío al pensar
que cual hoy por ayer, por hoy mañana
volveremos los dos a suspirar.[37]

LV

(9)

Entre el discorde[47] estruendo de la orgía
acarició mi oído
como nota de música lejana,
el eco de un suspiro.

El eco de un suspiro que conozco,   5
formado de un aliento que he bebido,
perfume de una flor que oculta crece
en un claustro sombrío.

---

[47] *discorde:* sin consonancia, disonante, falto de armonía.

(37) Varios motivos becquerianos se concentran en la rima LIV: la lágrima, la gota de rocío, el suspiro..., todos ellos completando el tema del paso del tiempo.

Mi adorada de un día, cariñosa,
— ¿En qué piensas? me dijo:
—En nada... —En nada ¿y lloras?— Es que tengo
alegre la tristeza y triste el vino.

LVI

(20)

Hoy como ayer, mañana como hoy,
¡y siempre igual! — *asonante*
Un cielo gris, un horizonte eterno
y andar... andar. *caminar*

Moviéndose a compás como una estúpida   5
máquina el corazón; *consonante*
la torpe inteligencia del cerebro
dormida en un rincón.

El alma, que ambiciona un paraíso,
buscándole sin fe;   10
fatiga sin objeto, ola que rueda
ignorando por qué.

Voz que incesante con el mismo tono
canta el mismo cantar,
gota de agua monótona que cae   15
y cae sin cesar.   *los días pasan muy lentos*

Así van deslizándose los días
unos de otros en pos,
hoy lo mismo que ayer... y todos ellos
sin gozo ni dolor.   20

¡Ay! ¡a veces me acuerdo suspirando
del antiguo sufrir!
¡Amargo es el dolor, pero siquiera
padecer es vivir!

Es mejor tener dolor de tener nada

LVII

(32)

Este armazón de huesos y pellejo
de pasear una cabeza loca
se halla cansado al fin y no lo extraño
pues aunque es la verdad que no soy viejo,
    de la parte de vida que me toca   5
en la vida del mundo, por mi daño
he hecho un uso tal, que juraría
que he condensado un siglo en cada día.

Así, aunque ahora muriera,
no podría decir que no he vivido;   10
que el sayo,[48] al parecer nuevo por fuera,
conozco que por dentro ha envejecido.

Ha envejecido, sí: ¡pese a mi estrella!
harto[49] lo dice ya mi afán doliente;
que hay dolor que al pasar su horrible huella   15
graba en el corazón, si no en la frente.[38]

---

[48] *sayo*: es prenda de vestir amplia y sin botones que cubre el cuerpo hasta la rodilla.   [49] *harto* (adverbio): bastante, sobradamente.

(38) El acercamiento métrico a la octava real en la primera parte (aunque con rima ABCABCDD) y la proximidad temática a *El diablo mundo* de Espronceda, son las características de esta rima que algunos críticos consideran prosaica en su comienzo.

LVIII

(8)

   ¿Quieres que de ese néctar delicioso
no te amargue la hez?
Pues aspírale, acércale a tus labios
y déjale después.

   ¿Quieres que conservemos una dulce   5
memoria de este amor?
Pues amémonos hoy mucho y mañana
digámonos, ¡adiós!

LIX

(17)

   Yo sé cuál el objeto
de tus suspiros es.
Yo conozco la causa de tu dulce
secreta languidez.
¿Te ríes...? Algún día   5
sabrás, niña, por qué.
Tú acaso lo sospechas
y yo lo sé.

*   *   *

   Yo sé cuándo tú sueñas,
y lo que en sueños ves;
como en un libro puedo lo que callas   10
en tu frente leer.

¿Te ríes...? Algún día
sabrás, niña, por qué.
Tú acaso lo sospechas   15
y yo lo sé.

* * *

Yo sé por qué sonríes
y lloras a la vez:
yo penetro en los senos misteriosos
de tu alma de mujer.   20
¿Te ríes...? Algún día
sabrás, niña, por qué;
mientras tú sientes mucho y nada sabes,
yo que no siento ya, todo lo sé.

LX

(41)

Mi vida es un erïal,[50]   A
flor que toco se deshoja;   B
que en mi camino fatal   A
alguien va sembrando el mal   A
para que yo lo recoja.   B   5

LXI

(45)

Al ver mis horas de fiebre
e insomnio lentas pasar
a la orilla de mi lecho,
¿quién se sentará?

---

[50] *erial:* tierra sin cultivar.

*tender
la mano*

Cuando la trémula mano   5
tienda próximo a expirar
buscando una mano amiga,
¿quién la estrechará?

Cuando la muerte vidríe
de mis ojos el cristal,   10
mis párpados aún abiertos,
¿quién los cerrará?

Cuando la campana suene
(si suena en mi funeral),
una oración al oírla,   15
¿quién murmurará?

Cuando mis pálidos restos
oprima la tierra ya,
sobre la olvidada fosa,
¿quién vendrá a llorar?   20

¿Quién en fin al otro día,
cuando el sol vuelva a brillar,
de que pasé por el mundo
quién se acordará?[39]

---

(39) La rima LXI, que fue publicada en 1861 con el título *Melodía* y el lema «*Es muy triste morir joven y no contar con una sola lágrima de mujer*», expresa una gran tristeza y angustia, que van aumentando hasta llegar al ámbito de la muerte: enfermedad, agonía, muerte, funerales, tumba y olvido es el orden que siguen las estrofas. En el plano formal, la disposición de interrogaciones retóricas y subordinadas temporales, insistentes y monótonas, como un tañer de campana, transmite una extraña sensación de melancolía. Existe la hipótesis de que pudiera haberla compuesto antes de 1860, durante la enfermedad de 1858.

LXII

(56)

Primero es un albor[51] trémulo y vago,
raya de inquieta luz que corta el mar;
luego chispea y crece y se difunde
en gigante explosión de claridad.

La brilladora lumbre es la alegría;   5
la temerosa sombra es el pesar:
¡Ay! en la oscura noche de mi alma,
¿cuándo amanecerá?[40]

LXIII

(68)

Como enjambre de abejas irritadas,
de un oscuro rincón de la memoria
salen a perseguirme los recuerdos
de las pasadas horas.

---

[51] *albor:* luz del alba; comienzo de una cosa.

(40) Salió por primera vez la rima LXII en 1861 con el título *Al amanecer*. La descripción del amanecer en sus dos momentos álgidos queda en la primera estrofa; la segunda es la transposición de ese fenómeno de la naturaleza al espíritu humano; una consideración del autor sobre sí mismo cierra el poema. Díez Taboada ha señalado la relación de la primera parte con el comienzo de la tercera *Carta literaria*, publicada también en 1861.

Yo los quiero ahuyentar. ¡Esfuerzo inútil!　　　5
Me rodean, me acosan,
y unos tras otros a clavarme vienen
el agudo aguijón que el alma encona.[41]

LXIV

(64)

Como guarda el avaro su tesoro,
guardaba mi dolor;
le quería probar que hay algo eterno
a la que eterno me juró su amor.

Mas hoy le llamo en vano y oigo al tiempo　　　5
que le acabó, decir:
¡ah, barro miserable, eternamente
no podrás ni aun sufrir!

LXV

(47)

Llegó la noche y no encontré un asilo
¡y tuve sed!... mis lágrimas bebí;
¡y tuve hambre! ¡Los hinchados ojos
cerré para morir!

¿Estaba en un desierto? Aunque a mi oído　　　5
de las turbas llegaba el ronco hervir,
yo era huérfano y pobre... ¡El mundo estaba
desierto... para mí!

---

(41) Las imágenes con que expresa la sensación de los recuerdos guardan una relación grande con la que emplea en la *Introducción sinfónica* para describir las impresiones que conserva. Véase documento núm. 3.

LXVI

(67)

¿De dónde vengo?... El más horrible y áspero
de los senderos busca;[52]
las huellas de unos pies ensangrentados
sobre la roca dura,
los despojos de un alma hecha jirones   5
en las zarzas agudas,
te dirán el camino
que conduce a mi cuna.

   ¿Adónde voy? El más sombrío y triste
de los páramos cruza,[52]   10
valle de eternas nieves y de eternas
melancólicas brumas.
   En donde esté una piedra solitaria
sin inscripción alguna,
donde habite el olvido,   15
allí estará mi tumba.[(42)]

---

[52] *busca, cruza:* formas imperativas que señalan el valor apelativo de las dos estrofas; el carácter imperativo queda claro cuando leemos el pronombre de segunda persona *(te)* contenido en el verso 7.

~~~~~~

(42) La angustia aflora en las dos estrofas opuestas y complementarias de la rima LXVI. El mundo visionario romántico cobra relieve en la rima con unas imágenes que desbordan el mundo onírico e irreal y revierten en lo más abrupto de la conciencia humana. Luis Cernuda tomó el penúltimo verso como título de su libro *Donde habite el olvido*, de 1934.

LXVII

(18)

¡Qué hermoso es ver el día
coronado de fuego levantarse,
y a su beso de lumbre
brillar las olas y encenderse el aire!

¡Qué hermoso es tras la lluvia   5
del triste Otoño en la azulada tarde,
de las húmedas flores
el perfume aspirar hasta saciarse!

¡Qué hermoso es cuando en copos
la blanca nieve silenciosa cae,   10
de las inquietas llamas
ver las rojizas lenguas agitarse!

¡Qué hermoso es cuando hay sueño
dormir bien... y roncar como un sochantre...[53]
y comer... y engordar... ¡y qué desgracia   15
que esto sólo no baste!

LXVIII

(61)

No sé lo que he soñado
en la noche pasada.
Triste, muy triste debió ser el sueño
pues despierto la angustia me duraba.

---

[53] *sochantre:* director del coro de los oficios divinos.

Noté al incorporarme   5
húmeda la almohada
y por primera vez sentí, al notarlo,
de un amargo placer henchirse el alma.

Triste cosa es el sueño
que llanto nos arranca,   10
mas tengo en mi tristeza una alegría...
¡Sé que aún me quedan lágrimas!

LXIX

(49)

Al brillar un relámpago nacemos
y aún dura su fulgor cuando morimos;
¡tan corto es el vivir!

La Gloria y el Amor tras que corremos
sombras de un sueño son que perseguimos;   5
¡despertar es morir!(43)

LXX

(59)

¡Cuántas veces al pie de las musgosas
paredes que la guardan,
oí la esquila[54] que al mediar la noche
a los maitines[55] llama!

---

[54] *esquila:* cencerro de tamaño reducido que tiene forma de campana.   [55] *maitines:*
rezo primero de las «horas canónicas», que se recita al amanecer.

(43) Obsérvense las claras connotaciones calderonianas en la rima
LXIX, que fue publicada en 1866 con el título *La vida es sueño. Calderón.*

¡Cuántas veces trazó mi silüeta   5
la luna plateada
junto a la del ciprés, que de su huerto
se asoma por las tapias!

Cuando en sombras la iglesia se envolvía
de su ojiva[56] calada   10
¡cuántas veces temblar sobre los vidrios
vi el fulgor de la lámpara!

Aunque el viento en los ángulos oscuros
de la torre silbara,
del coro entre las voces percibía   15
su voz vibrante y clara.

En las noches de invierno, si un medroso
por la desierta plaza
se atrevía a cruzar, al divisarme
el paso aceleraba.   20

Y no faltó una vieja que en el torno[57]
dijese a la mañana,
que de algún sacristán muerto en pecado
acaso era yo el alma.

A oscuras conocía los rincones   25
del atrio y la portada;
de mis pies las ortigas que allí crecen
las huellas tal vez guardan.

Los búhos, que espantados me seguían
con sus ojos de llamas,   30
llegaron a mirarme con el tiempo
como a un buen camarada.

---

[56] *ojiva:* arco formado por dos semicírculos iguales que se cortan en sus partes cóncavas. [57] *torno:* armazón de madera giratorio, colocado en el hueco de una pared. En los conventos sirve para intercambiar objetos sin que las religiosas sean vistas desde fuera.

A mi lado sin miedo los reptiles
se movían a rastras,
¡hasta los mudos santos de granito   35
creo que me saludaban!(44)

LXXI

(76)

No dormía; vagaba en ese limbo
en que cambian de forma los objetos,
misteriosos espacios que separan
la vigilia del sueño.

Las ideas que en ronda silenciosa   5
daban vueltas en torno a mi cerebro,
poco a poco en su danza se movían
con un compás más lento.

De la luz que entra al alma por los ojos
los párpados velaban el reflejo;   10
mas otra luz el mundo de visiones
alumbraba por dentro.

En este punto resonó en mi oído
un rumor semejante al que en el templo
vaga confuso al terminar los fieles   15
con un *Amén* sus rezos.

---

(44) Véase cómo motivos típicamente románticos sirven de fondo a esta rima que, como la LXXI, guarda una correspondencia con la leyenda *Tres fechas*.

Y oí como una voz delgada y triste
que por mi nombre me llamó a lo lejos,
y sentí olor de cirios apagados,
de humedad y de incienso.   20

. . . .
. . . .

Entró la noche y del olvido en brazos
caí cual piedra en su profundo seno:
Dormí, y al despertar exclamé: «¡Alguno
que yo quería ha muerto!»

LXXII

(5)

Primera voz

Las ondas tienen vaga armonía,
las vïoletas süave olor,
brumas de plata la noche fría,
luz y oro el día,
yo algo mejor;   5
¡yo tengo *Amor!*

Segunda voz

Aura de aplausos, nube radiosa,[58]
ola de envidia que besa el pie,
isla de sueños donde reposa
el alma ansiosa,
¡dulce embriaguez   10
la *Gloria* es!

---

[58] *radiosa:* que desprende rayos luminosos.

Tercera voz

Ascua encendida es el tesoro,
sombra que huye la vanidad.
Todo es mentira: la gloria, el oro.   15
Lo que yo adoro
sólo es verdad;
¡la *Libertad!*

*   *   *

Así los barqueros pasaban cantando
la eterna canción   20
y al golpe del remo saltaba la espuma
y heríala el sol.

— ¿Te embarcas? gritaban, y yo sonriendo
les dije al pasar:
Yo ya me he embarcado; por señas[59] que aún tengo   25
la ropa en la playa tendida a secar.[(45)]

---

[59] *por señas:* por cierto; expresión usada para mencionar una cosa, hacerla saber o recordarla, proporcionando noticias sobre ella.

(45) El desengaño, el «mal del siglo», expresado al final, es uno de los temas románticos por excelencia, lo mismo que la estructura que la rima presenta. Obsérvese en el mismo sentido de impregnación de romanticismo los motivos *Amor, Gloria* y *Libertad.*

LXXIII

(71)

Cerraron sus ojos
que aún tenía abiertos,
taparon su cara
con un blanco lienzo,
y unos sollozando,   5
otros en silencio,
de la triste alcoba
todos se salieron.

La luz que en un vaso
ardía en el suelo   10
al muro arrojaba
la sombra del lecho
    y entre aquella sombra
veíase a intérvalos[60]
dibujarse rígida   15
la forma del cuerpo.

Despertaba el día
y a su albor primero
con sus mil rüidos
despertaba el pueblo.   20

---

[60] *intérvalos:* Bécquer emplea una licencia poética que consiste en la alteración de la sílaba acentuada, con el fin de formar una palabra esdrújula, lo que le proporciona, a final de verso, una sílaba menos, y la rima *e-o*, acorde con *lecho, suelo, cuerpo*, etc.

Ante aquel contraste
de vida y misterio,
de luz y tinieblas,
yo pensé un momento:

¡Dios mío, qué solos   25
se quedan los muertos!

*   *   *

De la casa, en hombros
lleváronla al templo,
y en una capilla
dejaron el féretro.   30
Allí rodearon
sus pálidos restos
de amarillas velas
y de paños negros.

Al dar de las Ánimas   35
el toque postrero,
acabó una vieja
sus últimos rezos,
cruzó la ancha nave,
las puertas gimieron   40
y el santo recinto
quedóse desierto.

De un reloj se oía
compasado el péndulo
y de algunos cirios   45
el chisporroteo.
Tan medroso y triste,
tan oscuro y yerto
todo se encontraba
que pensé un momento: 50

¡Dios mío, qué solos
se quedan los muertos!

* * *

De la alta campana
la lengua de hierro
le dio volteando   55
su adiós lastimero.
El luto en las ropas,
amigos y deudos
cruzaron en fila
formando el cortejo.   60

Del último asilo,
oscuro y estrecho,
abrió la piqueta
el nicho a un extremo:
allí la acostaron,   65
tapiáronle luego,
y con un saludo
despidióse el duelo.

La piqueta al hombro
el sepulturero,   70
cantando entre dientes,
se perdió a lo lejos.
La noche se entraba,
el sol se había puesto:
perdido en las sombras,   75
yo pensé un momento:

¡Dios mío, qué solos
se quedan los muertos!

* * *

En las largas noches
del helado invierno,   80
cuando las maderas
crujir hace el viento
y azota los vidrios
el fuerte aguacero,
de la pobre niña   85
a veces me acuerdo.

Allí cae la lluvia
con un son eterno:
allí la combate
el soplo del cierzo.   90
Del húmedo muro
tendida en el hueco,
¡acaso de frío
se hielan sus huesos!...
. . . .
¿Vuelve el polvo al polvo?   95
¿Vuela el alma al cielo?
¿Todo es, sin espíritu,
podredumbre y cieno?
¡No sé; pero hay algo
que explicar no puede,   100
algo que repugna
aunque es fuerza hacerlo,
a dejar tan tristes
tan solos los muertos![(46)]

~~~~~~

(46) La rima LXXIII es otra de las que Bécquer compuso siguiendo los
más puros ecos del romanticismo, tanto en su aspecto formal (una balada
en hexasílabos) como en el tratamiento del tema de la muerte, presentán-
dola por medio de una descripción plástica. La filiación romántica de la
rima es tal, que en la última estrofa sigue de cerca las *Meditaciones poéticas*
lamartinianas, las *Contemplaciones* de Hugo o las *Melodías* de Byron, plan-
teándose un interrogante, una reflexión ante el misterio de la muerte.

LXXIV

(24)

Las ropas desceñidas,
desnudas las espadas,
en el dintel de oro de la puerta
dos ángeles velaban.

Me aproximé a los hierros   5
que defienden la entrada,
y de las dobles rejas en el fondo
la vi confusa y blanca.

La vi como la imagen
que en leve ensueño pasa,   10
como rayo de luz tenue y difuso
que entre tinieblas nada.

Me sentí de un ardiente
deseo llena el alma;
como atrae un abismo, aquel misterio   15
hacia sí me arrastraba.

Mas ¡ay! que de los ángeles
parecían decirme las miradas
—El umbral de esta puerta
sólo Dios lo traspasa.[47]   20

---

(47) Recuerda la rima LXXIV la parte final de *Tres fechas* y, sobre todo, *El beso*, pues son sus temas la mujer entrevista, la imagen blanca y la mujer como imagen de la muerte.

LXXV

(23)

¿Será verdad que cuando toca el sueño
con sus dedos de rosa nuestros ojos,
de la cárcel que habita huye el espíritu
en vuelo presuroso?

¿Será verdad que, huésped de las nieblas,　　5
de la brisa nocturna al tenue soplo,
alado sube a la región vacía
a encontrarse con otros?

¿Y allí desnudo de la humana forma,
allí los brazos terrenales rotos,　　　　　　10
breves horas habita de la idea
el mundo silencioso?

¿Y ríe y llora y aborrece y ama
y guarda un rastro del dolor y el gozo,
semejante al que deja cuando cruza　　　　　15
el cielo un meteoro?

Yo no sé si ese mundo de visiones
vive fuera o va dentro de nosotros:
pero sé que conozco a muchas gentes
a quienes no conozco.　　　　　　　　　　　20

LXXVI

(74)

En la imponente nave
del templo bizantino,
vi la gótica tumba a la indecisa
luz que temblaba en los pintados vidrios.

Las manos sobre el pecho,　　　　　　5
y en las manos un libro,
una mujer hermosa reposaba
sobre la urna del cincel prodigio.

Del cuerpo abandonado
al dulce peso hundido,　　　　　　10
cual si de blanda pluma y raso fuera
se plegaba su lecho de granito.

De la sonrisa última
el resplandor divino
guardaba el rostro, como el cielo guarda　　　　　　15
del sol que muere el rayo fugitivo.

Del cabezal de piedra
sentados en el filo,
dos ángeles, el dedo sobre el labio,
imponían silencio en el recinto.　　　　　　20

No parecía muerta;
de los arcos macizos
parecía dormir en la penumbra
y que en sueños veía el paraíso.

Me acerqué de la nave 25
al ángulo sombrío,
con el callado paso que se llega
junto a la cuna donde duerme un niño.

La contemplé un momento
y aquel resplandor tibio, 30
aquel lecho de piedra que ofrecía
próximo al muro otro lugar vacío,

en el alma avivaron
la sed de lo infinito,
el ansia de esa vida de la muerte 35
para la que un instante son los siglos...
. . . .
. . . .
Cansado del combate
en que luchando vivo,
alguna vez me acuerdo con envidia
de aquel rincón oscuro y escondido. 40

De aquella muda y pálida
mujer me acuerdo y digo:
¡Oh, qué amor tan callado, el de la muerte!
¡Qué sueño el del sepulcro, tan tranquilo![48]

(**48**) Es una rima basada en motivos de espacios cerrados, como algunas de las anteriores. Es ésta, sin embargo, la que más se aproxima al tratamiento del tema que hace Bécquer en su prosa. En el manuscrito de esta rima, que se conserva en el Museo de Arte Decorativo de Buenos Aires, hay un dibujo de Bécquer que representa una tumba gótica de fines del siglo xv, y varias figuras más, lo que testimonia la visión plástica de muchos de los escritos del poeta.

[LXXVII]

(44)

Dices que tienes corazón, y sólo
lo dices porque sientes sus latidos;
eso no es corazón... es una máquina
que al compás que se mueve hace rüido.

[LXXVIII]

(48)

Fingiendo realidades
con sombra vana,
delante del Deseo
va la Esperanza.

Y sus mentiras   5
como el Fénix[61] renacen
de sus cenizas.

[LXXIX]

(55)

Una mujer me ha envenenado el alma,
otra mujer me ha envenenado el cuerpo;
ninguna de las dos vino a buscarme,
yo de ninguna de las dos me quejo.

---

[61] *Fénix:* ave fabulosa que, según los antiguos, renacía de sus propias cenizas.

Como el mundo es redondo, el mundo rueda. 5
Si mañana, rodando, este veneno
envenena a su vez ¿por qué acusarme?
¿Puedo dar más de lo que a mí me dieron?[49]

RIMAS QUE NO FIGURAN EN EL
LIBRO DE LOS GORRIONES

[Rima LXXX]

A TODOS LOS SANTOS

Patriarcas que fuisteis la semilla
del árbol de la fe en siglos remotos,
al vencedor divino de la muerte
¡rogadle por nosotros!
Profetas que rasgasteis inspirados 5
del porvenir el velo misterioso,
al que sacó la luz de las tinieblas
¡rogadle por nosotros!
Almas cándidas, santos inocentes
que aumentáis de los ángeles el coro, 10
al que llamó a los niños a su lado
¡rogadle por nosotros!
Apóstoles que echasteis en el mundo
de la Iglesia el cimiento poderoso,
al que es de la verdad depositario 15
¡rogadle por nosotros!
Mártires que ganasteis vuestras palmas
en la arena del circo, en sangre rojo,
al que os dio fortaleza en los tormentos
¡rogadle por nosotros! 20

---

(49) Esta rima está tachada con una cruz en el *Libro de los gorriones*, y fue publicada por vez primera en 1901 por Eduardo de Lustonó en la revista *Alrededor del mundo*.

Vírgenes, semejantes a azucenas
que el verano vistió de nieve y oro,
al que es fuente de vida y hermosura
¡rogadle por nosotros!
Monjes que de la vida en el combate   25
pedisteis paz al claustro silencioso,
al que es iris de calma en las tormentas
¡rogadle por nosotros!
Doctores, cuyas plumas nos legaron
de virtud y saber, rico tesoro,   30
al que es raudal de ciencia inextinguible
¡rogadle por nosotros!
¡Soldados del ejército de Cristo!
¡Santos y Santas todos!
¡Rogadle que perdone nuestras culpas   35
a aquel que vive y reina entre vosotros!

Gustavo Adolfo Bécquer [50]

[Rima LXXXI]

Lejos y entre los árboles
de la intrincada selva
¿no ves algo que brilla
y llora? Es una estrella.
Ya se la ve más próxima,   5
como a través de un tul,
de una ermita en el pórtico
brillar. Es una luz.

---

[50] Este poema fue descubierto en 1891 en una colección de composiciones religiosas titulada *Cantos del cristianismo. Devocionario de la infancia y álbum religioso*, editada en Madrid en 1868; en el mismo volumen se encuentran también obras de Alarcón, Concepción Arenal, Bretón de los Herreros, Campoamor, García Gutiérrez, Ros de Olano, etc. Esto explica su peculiaridad dentro del conjunto de las *Rimas*.

De la carrera rápida
el término está aquí.   10
Desilusión. No es lámpara ni estrella
la luz que hemos seguido: es un candil.

[Rima LXXXII]

Es un sueño la vida,
pero un sueño febril que dura un punto;
cuando de él se despierta,
se ve que todo es vanidad y humo...
   ¡Ojalá fuera un sueño   5
muy largo y muy profundo;
un sueño que durara hasta la muerte!...
Yo soñaría con mi amor y el tuyo.

[Rima LXXXIII]

Solitario, triste y mudo
hállase aquel cementerio;
sus habitantes no lloran...
¡Qué felices son los muertos!

[Rima LXXXIV]

AMOR ETERNO

Podrá nublarse el sol eternamente;
podrá secarse en un instante el mar:
podrá romperse el eje de la tierra
como un débil cristal.

¡Todo sucederá! Podrá la muerte   5
cubrirme con su fúnebre crespón, [62]
pero jamás en mí podrá apagarse
la llama de tu amor.

[Rima LXXXV]

A Casta

Tu aliento es el aliento de las flores,
tu voz es de los cisnes la armonía;
es tu mirada el esplendor del día
y el color de la rosa es tu color.

Tú prestas nueva vida y esperanza   5
a un corazón para el amor ya muerto,
tú creces de mi vida en el desierto
como crece en un páramo la flor. [(51)]

[Rima LXXXVI]

La gota de rocío

La gota de rocío que en el cáliz
duerme de la blanquísima azucena,
es el palacio de cristal en donde
vive el genio feliz de la pureza.

Él la [63] da su misterio y poesía,   5
él su aroma balsámico le presta;
¡ay de la flor si de la luz al beso
se evapora esa perla!

---

[62] *crespón:* tejido de gasa negra y consistente que se usa como señal de luto.   [63] *la:*
laísmo; utilización del pronombre *la*, femenino de objeto directo, en función de objeto
indirecto.

(51) Incorporado a la edición de 1885, es el único poema que, explícita-
mente, dedica Bécquer a su mujer, Casta Esteban. Su estilo dista mucho de
aquél de las rimas clasificadas en las cuatro series a las que hemos venido
refiriéndonos.

ÍNDICE DE LAS RIMAS

Documentos y juicios críticos

1. *En* La Iberia *de 4 de noviembre de 1860 publicó don Juan de la Rosa González un artículo en el que censuraba muy severamente la zarzuela de Bécquer y Luna* La cruz del valle, *obra que el crítico califica de «un arreglo de otro arreglo del drama antiguo, que fue arreglado a nuestra escena por un arreglador cuyo nombre ignoramos». Bécquer replicó con otro artículo publicado en el* Álbum *de* La Iberia *el domingo 11 de noviembre, del que reproducimos este fragmento de gran valor autobiográfico, tomado del libro de José Pedro Díaz (ver Bibliografía), pp. 93-95:*

Yo no sé si por mi buena o mala ventura me dediqué muy joven a las letras, pero sí que lo hice por necesidad. Comencé por donde comienzan casi todos: por escribir una tragedia clásica y algunas poesías líricas. Esto es lo que en lenguaje técnico llamamos pagar la patente de inocencia. La primera la guardo; de las segundas se publicaron varias. Aunque yo tengo para mí que la poesía lírica española sería una de las primeras del mundo si con ella se comiese o a sus autores se premiase de algún modo, nunca abrigué la presunción de creerme el llamado a sacar provecho de un género que abandonaban Tassara, Ayala y Selgas.[1] Andando algún tiempo, emprendí la publicación de la *Historia de los templos de España*. Para llevar a cabo este proyecto, era preciso luchar con grandes dificultades materiales y hacer estudios superiores a mi edad y ajenos a mi inclinación. Logré vencer las primeras, y la prensa en general emitió un juicio, que considero demasiado benévolo, sobre los segundos.

Enojoso por demás sería el referir ahora los sacrificios de todo género que hice por llevar a cabo esta obra, que al fin tuvo que suspenderse, falta de

---

[1] Se refiere a los escritores de la época Gabriel García de Tassara, Adelardo López de Ayala y José Selgas y Carrasco.

los grandes recursos y la protección tan indispensables a las publicaciones de su magnitud e importancia.

La crítica no se apercibió de su muerte, ni aun siquiera puso sobre su tumba el epitafio de la de Faetón:[2]

> *Si no acabó grandes empresas,*
> *murió por acometerlas.*

Esto al menos hubiera sido un consuelo.

Más tarde se me presentó la ocasión de escribir artículos literarios y críticos. El señor de la Rosa debe saber el periódico en que aparecieron, y aún me ruborizo de los inmerecidos elogios que por entonces me dirigió, al par que casi todos mis compañeros de otros periódicos.

Escasamente mes y medio me ocupé en estos trabajos, que también tuve que abandonar por causas enteramente ajenas a mi buen deseo de no buscar el tanto por ciento con careta. Ninguno de tantos como me saludaron al aparecer me dijeron «adiós» al marcharme. Creerían que los abandonaba por mi gusto.

La política y los empleos, últimos refugios de las musas en nuestra nación, no entraban en mis cálculos ni en mis aspiraciones. Entonces pensé en el teatro y en la zarzuela.

Un editor me propuso arreglar para este último género un drama francés arreglado ya al español hace muchos años por el Excmo. señor don Ventura de la Vega, y con cuyo mismo argumento existen una ópera francesa, otra alemana y otra italiana, que sólo de nombre conozco.

El asunto, como se ve, nació con estrella musical.

Lo arreglé en unión con mi amigo don Luis García Luna. Nuestro cometido se reducía a escribirlo en versos castellanos y proporcionar al compositor algunas situaciones musicales. Usted, señor la Rosa, en la gacetilla y la revista ha tenido la bondad de decir que el arreglo en cuestión tiene lo uno y lo otro. Yo, sin embargo, que, aun cuando en esta senda me han antecedido muchos escritores de primer orden, no creo que es la que conduce a la inmortalidad, al poner en ella el pie tuve rubor, y me tapé la cara.

---

[2] Personaje mitológico, hijo del Sol y de Clímene, que tomó las riendas del carro de su padre, pero fue incapaz de dominar sus corceles impetuosos y se aproximó demasiado a la tierra; antes de que llegara a abrasarla, Júpiter le lanzó su rayo y lo fulminó.

2. *El fragmento siguiente pertenece a la IV de las* Cartas literarias *a una mujer, que fueron publicadas en* El *Contemporáneo, entre 1860 y 1861. La reproducción está tomada de la citada edición de las* Rimas, *a cargo de José Carlos de Torres, en* Clásicos Castalia, *pp. 239-241:*

Un día entré en el antiguo convento de San Juan de los Reyes. Me senté en una de las piedras de su ruinoso claustro, y me puse a dibujar. El cuadro que se ofrecía a mis ojos era magnífico. Largas hileras de pilares que sustentan una bóveda cruzada de mil y mil crestones[1] caprichosos; anchas ojivas caladas, como los encajes de un rostrillo;[2] ricos doseletes[3] de granito con caireles[4] de hiedra, que suben por entre las labores, como afrentando a las naturales; ligeras creaciones del cincel, que parece han de agitarse al soplo del viento; estatuas vestidas de luengos paños, que flotan como al andar; caprichos fantásticos, gnomos, hipogrifos,[5] dragones y reptiles sin número, que ya asoman por cima de un capitel, ya corren por las cornisas, se enroscan en las columnas, o trepan babeando por el tronco de las guirnaldas de trébol; galerías que se prolongan y que se pierden, árboles que inclinan sus ramas sobre una fuente, flores risueñas, pájaros bulliciosos formando contraste con las tristes ruinas y las calladas naves, y por último, el cielo, un pedazo de cielo azul que se ve más allá de las crestas de pizarra, de los miradores, a través de los calados de un rosetón.

En tu álbum tienes mi dibujo; una reproducción pálida, imperfecta, ligerísima de aquel lugar, pero que no obstante puede darte una idea de su melancólica hermosura. No ensayaré pues, describírtela con palabras, inútiles tantas veces.

Sentado, como te dije, en una de las rotas piedras, trabajé en él toda la mañana, torné a emprender mi tarea a la tarde, y permanecí absorto en mi ocupación hasta que comenzó a faltar la luz. Entonces, dejando a mi lado el lápiz y la cartera, tendí una mirada por el fondo de las solitarias galerías y me abandoné a mis pensamientos.

---

[1] *crestones:* (aumentativo de *cresta*); parte que sobresale de algo en forma de cresta.

[2] *rostrillo:* (diminutivo de *rostro*); adorno que antiguamente se ponían las mujeres alrededor de la cara, y que hoy puede verse en algunas imágenes religiosas femeninas.

[3] *doseletes:* partes arquitectónicas voladizas que se colocan sobre las estatuas y sepulcros a manera de dosel.

[4] *caireles:* parte que queda colgada, a manera de fleco, en los extremos de ciertas ropas.

[5] *hipogrifos:* animales fabulosos, mitad caballo y mitad grifo, animal híbrido fabuloso también éste que de cintura hacia arriba es águila y de cintura hacia abajo león.

El sol había desaparecido. Sólo turbaban el alto silencio de aquellas ruinas, el monótono rumor del agua de aquella fuente, el trémulo murmullo del viento que suspiraba en los claustros, y el temeroso y confuso rumor de las hojas de los árboles que parecían hablar entre sí en voz baja.

Mis deseos comenzaron a hervir y a levantarse en vapor de fantasías. Busqué a mi lado una mujer, una persona a quien comunicar mis sensaciones. Estaba solo. Entonces me acordé de esta verdad, que había leído en no sé qué autor: «La soledad es muy hermosa... cuando se tiene junto alguien a quien decírselo.»

No había aún concluido de repetir esta frase célebre, cuando me pareció ver levantarse a mi lado y de entre las sombras, una figura ideal, cubierta con una túnica flotante y ceñida la frente de una aureola. Era una de las estatuas del claustro derruido, una escultura que arrancada de un pedestal y arrimada al muro en que me había recostado, yacía allí cubierta de polvo y medio escondida entre el follaje, junto a la rota losa de un sepulcro y el capitel de una columna. Más allá, a lo lejos, y veladas por las penumbras y la oscuridad de las extensas bóvedas, se distinguían confusamente algunas otras imágenes: vírgenes con sus palmas y sus nimbos,[6] monjes con sus báculos y sus capuchas, eremitas con sus libros y sus cruces, mártires con sus emblemas y sus aureolas, toda una generación de granito, silenciosa e inmóvil, pero en cuyos rostros había grabado el cincel la huella del ascetismo y una expresión de beatitud y serenidad inefables.[7]

3. *El* Libro de los gorriones *(ver* Introducción*), entre las páginas 5 a 7, contiene el autógrafo de la* Introducción sinfónica *que, como quedó dicho, es uno de los escritos de Bécquer sobre poética y poesía. En el siguiente fragmento se reproducen los primeros párrafos, tomados de la edición de las* Rimas *de José Carlos de Torres, en Clásicos Castalia, pp. 81-82. El texto tiene relación con otros varios, en prosa y en verso, del autor:*

Por los tenebrosos rincones de mi cerebro, acurrucados y desnudos, duermen los extravagantes hijos de mi fantasía, esperando en silencio que el arte los vista de la palabra para poderse presentar decentes en la escena del mundo.

Fecunda, como el lecho de amor de la miseria, y parecida a esos padres que engendran más hijos de los que pueden alimentar, mi musa concibe y

---

[6] *nimbos:* aureolas que las imágenes tienen alrededor de la cabeza.

[7] *inefable:* que no se puede explicar con palabras.

pare en el misterioso santuario de la cabeza, poblándola de creaciones sin número, a las cuales ni mi actividad ni todos los años que me restan de vida serían suficientes a dar forma.

Y aquí dentro, desnudos y deformes, revueltos y barajados en indescriptible confusión, los siento a veces agitarse y vivir con una vida oscura y extraña, semejante a la de esas miríadas de gérmenes que hierven y se estremecen en una eterna incubación dentro de las entrañas de la tierra, sin encontrar fuerzas bastantes para salir a la superficie y convertirse al beso del sol en flores y frutos.

Conmigo van, destinados a morir conmigo, sin que de ellos quede otro rastro que el que deja un sueño de la media noche, que a la mañana no puede recordarse. En algunas ocasiones, y ante esta idea terrible, se subleva en ellos el instinto de la vida, y agitándose en terrible, aunque silencioso tumulto, buscan en tropel por donde salir a la luz, de las tinieblas en que viven. Pero, ¡ay, que entre el mundo de la idea y el de la forma existe un abismo que sólo puede salvar la palabra; y la palabra tímida y perezosa se niega a secundar sus esfuerzos! Mudos, sombríos e impotentes, después de la inútil lucha vuelven a caer en su antiguo marasmo.[1] Tal caen inertes en los surcos de las sendas, si cae el viento, las hojas amarillas que levantó el remolino.

Estas sediciones de los rebeldes hijos de la imaginación explican algunas de mis fiebres: ellas son la causa, desconocida para la ciencia, de mis exaltaciones y mis abatimientos. Y así, aunque mal, vengo viviendo hasta aquí: paseando por entre la indiferente multitud esta silenciosa tempestad de mi cabeza. Así vengo viviendo; pero todas las cosas tienen un término y a éstas hay que ponerles punto.

El insomnio y la fantasía siguen y siguen procreando en monstruoso maridaje. Sus creaciones, apretadas ya, como las raquíticas plantas de un vivero, pugnan por dilatar su fantástica existencia, disputándose los átomos de la memoria, como el escaso jugo de una tierra estéril. Necesario es abrir paso a las aguas profundas, que acabarán por romper el dique, diariamente aumentadas por un manantial vivo.

4. *Es éste el fragmento de una carta de Bécquer, que en marzo de 1861 escribió desde Soria a su amigo Rodríguez Correa. Se percibe en él el momento de crisis que el poeta está viviendo, momento que tal vez dejó huella honda en parte de las* Rimas. *Está tomado el texto del libro mencionado de José Pedro Díaz, p. 102:*

---

[1] *marasmo:* inmovilidad, paralización.

Mañana emprenderemos el camino de Veruela. Ojalá el viejo monasterio me dé la calma y la resignación que necesito, pues mi alma es sólo un
pobre guiñapo inservible, dormido, que me pesa como un fardo inútil que la
fatalidad tiró sobre mis hombros, y con el cual me obliga a caminar como
nuevo judío errante. En el amplio hogar de la cocina me entretuve anoche
en quemar todas mis cartas, únicos recuerdos, reliquias mejor dicho, que
me quedaban de mi vida de ayer, de las horas que nunca volverán. Al
enroscarse a los rotos pliegos la llama parecía su mano, una mano amarilla,
de muerte, que se burlaba de mí, haciendo signos incomprensibles; aquella
mano, que hoy estará prisionera entre otras... No quiero pensar nada,
sentir nada.

5.   *Julio Nombela fue amigo y compañero de Bécquer desde la infancia. A la obra*
Impresiones y recuerdos *(4 vols., Madrid, 1909) se deben muchas noticias de la
vida de Bécquer que sin esta aportación se desconocerían. El fragmento que reproducimos está tomado de la edición de Madrid, Ediciones Giner, 1976, que en sus 1.070
páginas contiene los volúmenes de la edición anterior; corresponde a las pp. 216-219
(Libro segundo):*

Nuestro ideal: ¡Madrid!

Una tarde, después de un largo paseo, perdió nuestra conversación la
vaguedad que solía caracterizarla. Éramos ya hombres o poco menos, no
podíamos perder tiempo, debíamos tomar una resolución formal para
asegurarnos un porvenir.

Nuestro bello ideal era residir en Madrid; la corte era el palenque[1]
donde debíamos luchar. Con tal motivo fui aquella tarde a los ojos de mis
compañeros de ilusiones poco menos que un oráculo, y obedeciendo instin-
tivamente a la petulancia natural de todas las personas en los momentos en
que sirven para algo, ponderaba yo las facilidades que debíamos hallar en
Madrid para realizar nuestros deseos.

En honor de la verdad había perdido, o mejor dicho, no me había
tomado hasta entonces el trabajo de formarme una idea exacta de mi
ciudad natal: Bécquer nos pintó el Madrid que veía en su imaginación; yo
aseguré que era tal como Bécquer lo pintaba, porque su descripción me
entusiasmó, y Campillo, más práctico que nosotros, a quien sus gustos

---

[1] *palenque:* terreno cercado en que se celebran espectáculos o actos solemnes.

clásicos permitían vivir a la vez en el cielo y en la tierra, preguntaba detalles que, aunque prosaicos, daban idea de su buen sentido. Contesté satisfactoriamente a sus preguntas, los tres nos embriagamos de entusiasmo y juramos, ya de noche, a la luz de la luna que rielaba sobre las aguas del Guadalquivir, trasladarnos a Madrid, ser allí hermanos y convertirnos en los poetas más célebres de nuestro tiempo.

—Pero no podemos ir con las manos vacías —dijo Campillo.

—Es preciso llevar lo menos un tomo de poesías —añadió Bécquer.

—Un tomo, y más colaborando en él tres poetas, exige obras de mucho mérito. Sólo así encontraremos editor —afirmó Campillo.

—Por eso no hay que apurarse —insinué yo con la mejor buena fe—; nos sobrarán editores.

— ¿Cuánto calculas que nos darán por el tomo? —me preguntó Campillo.

—Un dineral —contestó Bécquer antes de que yo pudiera responder.

— ¡Eso es, una fortuna! —asentí.

Después de un largo y animado debate, convinimos en reunirnos todas las noches en el camaranchón[2] que servía a Campillo de gabinete de estudio; leeríamos las composiciones que escribiéramos; serían escrupulosamente examinadas, desechadas o sometidas a corrección, y cuando por unanimidad las aprobásemos, se depositarían en una arquita de madera de pino que poseía Campillo.

Este pacto se cumplió al pie de la letra. Bécquer era más tolerante que Campillo: éste no perdonaba el menor defecto, y las composiciones caían bajo el peso de la ley que habíamos establecido y que, ¡cosa extraña, siendo españoles!, respetábamos religiosamente. ¡Con qué ardor trabajábamos!

Ya había en el arca guardadora de nuestro tesoro un centenar de poesías, cuando nos sorprendió la primavera de 1854.

Después de calcular las páginas que llenarían aquellos versos y de leer con la imaginación los elogios que unos críticos que nosotros formábamos a nuestro gusto, dedicarían al libro anunciando al mundo la aparición de tres grandes poetas, Bécquer nos dijo con la mayor formalidad:

—El momento de emprender el viaje se acerca. El libro está en el arca. Es preciso buscar recursos. El pasaje, la manutención, todo eso representa gastos. Necesitamos algún dinero y hay que buscarlo.

Quizás fue aquel el primer momento en que Bécquer vio la vida con toda su triste realidad.

Campillo se quedó silencioso y triste.

---

[2] *camaranchón:* desván, trastero.

Su madre podría darle lo necesario para el viaje; pero ¿cómo iba a tener valor para separarse de ella?

Yo regresaría a Madrid con mi familia, y no necesitaba anticipos.

Proyectos e ilusiones

Bécquer prosiguió haciendo cuentas.

—Vamos a ver —dijo sentándose a la mesa y disponiéndose a trazar guarismos sobre un papel, que conservo como una reliquia—. Hagamos un presupuesto para saber a qué atenernos. ¿Cuánto nos darán por el tomo sobre poco más o menos?

Campillo y yo nos miramos.

—Figuremos una suma aproximada —continuó Bécquer, volviendo a ser poeta y haciendo de la aritmética una lira—. ¿Qué calculáis que nos dará un editor, teniendo en cuenta que no somos aún celebridades?

—¡Qué menos que dos o tres mil duros!... —me atreví a insinuar.

Campillo me miró asombrado. Sin duda le parecía que yo soñaba.

Pero Bécquer, indignado ante mi indicación, que juzgó mísera y hasta ridícula, entusiasmándose, todo alma, todo ilusión, todo grandeza:

—¡Tres mil duros! ¡Sesenta mil reales! —exclamó—. ¡Eso se paga a cualquier coplero!... ¡Vergüenza daría a un editor ofrecernos esa suma irrisoria! Pongamos trece mil o un poco más: noventa mil reales para cada uno de los tres.

—Bien; pongamos lo que dices —añadí yo, que creía en Bécquer como si hablara por su boca el Evangelio.

Campillo nos miró con la sonrisa que retozaba en sus labios cuando aparentaba creer lo que no creía.

Bécquer escribió en el papel que he hecho fotografiar como una curiosidad los guarismos y su aplicación, tal como aparecen en el facsímile que reproduzco en esta página, seguro de que sus admiradores le verán hasta con devoción.

Antes de sumar hizo un cálculo y vio que los gastos de casa, vestido, viajes, comida, criados, carruajes y amores sólo ascendían a doscientos diez mil reales. Sobraban sesenta mil.

—¿En qué los gastaremos? —exclamó Bécquer después de una breve pausa.

Su pregunta nos pareció un problema insoluble. ¡Dios mío! ¿En qué gastaríamos aquel sobrante? Éramos poetas y no sabíamos dar empleo a aquella cantidad.

Permanecimos algunos momentos perplejos; nos mirábamos, mirábamos al techo, escudriñábamos nuestra experiencia, y nada...

—¡Ya sé en qué vamos a gastar lo que sobra! —dijo Bécquer de pronto.

Y trazó en la parte superior del papel la línea que aparece antes que las demás:

«60.000 reales.—Obras de caridad.»

Nuestra alegría por aquella inspiración no tuvo límites. Después de retratarse Bécquer moralmente con aquella inspiración, nos separamos satisfechos.

¡Tres pobres, poco menos que de solemnidad, pensando en dar limosnas! ¡Decididamente éramos poetas!

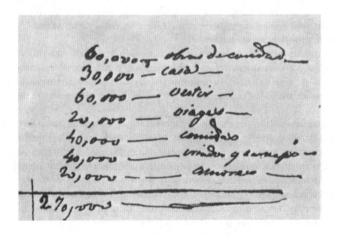

6.   *Fragmento tomado también de la obra de Julio Nombela (pp. 500-503, Libro tercero). La visión que ofrece de Bécquer al comienzo coincide con ideas expuestas por el mismo poeta en algunas rimas y en textos en prosa (ver al respecto el documento núm. 3):*

GRAVE ENFERMEDAD DE BÉCQUER

En junio de aquel mismo año 1858 volví a ser enfermero. Bécquer sufrió una enfermedad gravísima que le tuvo postrado en el lecho muy cerca de dos meses. Después de tres o cuatro días de una fiebre violenta que puso en gran cuidado al médico, apareció en su cabeza una gran erupción, sin que a pesar de este desahogo remitiese la calentura. A la caída de la tarde y por las noches a altas horas, durante las dos primeras semanas de la enfermedad deliraba sin cesar, evocando en su delirio las ideas que bullían en su mente, los fantásticos proyectos literarios que había forjado su imaginación. Al cabo de una o dos horas de aquella terrible exaltación, quedaba postrado, sin voz, sin movimiento, como muerto.

La buena mujer que le hospedaba y una hija suya, que era peinadora, cuidaban a Gustavo con el más cariñoso esmero; su hermano Valeriano, los huéspedes, sus buenos amigos Federico Alcega y Díaz Cendrera, Luna y yo, le prestamos todo género de auxilios, alternando por las noches para velarle.

Cuando pasó el peligro, que tanto al médico que le asistía como a nosotros nos hizo temer un doloroso desenlace, se había debilitado de tal modo que necesitó permanecer más de un mes en la cama y cuando pudo levantarse parecía un cadáver.

Tardó mucho en reponerse y su hermano, como era natural, y sus amigos, cada cual con arreglo a sus recursos, le ayudamos a soportar los gastos de aquella larga y penosa enfermedad, no siendo su patrona la que menos sacrificios hizo en su favor, sin exigir ni querer que fuesen remunerados [...].

Cuando curado, aunque no restablecido por completo, pudo Bécquer abandonar la triste casa donde tanto le había hecho sufrir la enfermedad, se manifestó en su ánimo el amor a la vida con más fuerza que nunca. Federico Alcega, que era de sus amigos el que disponía de más tiempo, le acompañaba a los paseos que para fortalecerse con el aire y el sol le había aconsejado el médico que diese por las mañanas aprovechando lo saludable de aquellas horas en la estación veraniega. También Díaz Cendrera y yo alternábamos con Alcega en las visitas al Retiro, y nos complacía oír contar a Gustavo, más locuaz que de costumbre, las tristes impresiones, los acerbos[1] temores que había sufrido durante su penosa enfermedad. Parecían mejorar de consuno[2] su cuerpo y su alma. Las esperanzas se despertaban con nuevo vigor del letargo en que habían estado sumidas, se renovaban en su espíritu sus proyectos literarios, e iluminaban su estoico pesimismo ilusiones que una consoladora fe en el porvenir mantenía ofreciéndoles dulces consuelos.

---

[1] *acerbos:* ásperos, desagradables, rigurosos.
[2] *de consuno* (adverbio): juntamente, de común acuerdo.

Las «Rimas». Gustavo se enamora de Julia

En el final de aquel año y en el siguiente de 1859 escribió algunas de las rimas que a su muerte fueron publicadas, y particularmente las inspiradas en el sentimiento del amor, que algunos han creído dedicadas a la que dos años después fue su esposa.

Sobre su casamiento diré en el tomo tercero de estos recuerdos lo que, sin faltar a la discreción, pueda interesar a los numerosos admiradores de Bécquer, que son cuantos han leído y siguen leyendo sus obras. Por ahora me limitaré a revelar lo que muy pocos adivinaron en su tiempo y yo pude saber con exactitud.

Al llegar el otoño, que por lo regular es en Madrid el período más templado del año, hermoso, aunque melancólico, iba yo a buscar a Gustavo y elegíamos con frecuencia para pasear la montaña del Príncipe Pío, paraje solitario favorecido con la perspectiva más hermosa de los alrededores de Madrid. La estación del ferrocarril del Norte y algunas casas se apoderaron de aquel paseo; pero entonces, desde su punto más elevado se descubrían los bosques de la Casa de Campo y del Pardo, teniendo este Real Sitio por dosel en último término las nevadas cumbres del Guadarrama.

Escudriñar las calles y callejuelas que desde la Puerta del Sol abrían paso a la montaña era la distracción que más agradaba a Bécquer. En una de aquellas tardes quiso que pasáramos por la calle de la Justa, en la actualidad de Ceres, para ver la casa en donde yo había nacido, casa que desde hace muchos años, como otras colindantes, está convertida en un asqueroso lupanar.[3]

Entramos por el callejón del Perro, seguimos por la derecha, vimos con repugnancia aquella morada que en la época de mi nacimiento albergaba a familias modestas, pero decentes y honradas, y proseguimos hacia la calle de la Flor Alta, frente a la cual había una casa de vecindad de muy buen aspecto desde cuyos balcones se veía un trozo de la calle ancha de San Bernardo.

Cuando pasamos estaban asomadas a uno de los balcones del piso principal dos jóvenes de extraordinaria belleza, diferenciándose únicamente en que la que parecía mayor, escasamente de diecisiete o dieciocho años, tenía en la expresión de sus ojos y en el conjunto de sus facciones algo de celestial.

Gustavo se detuvo admirado al verla, y aunque proseguimos nuestra

---

[3] *lupanar:* casa de mujeres públicas.

marcha por la calle de la Flor Alta, no pudo menos de volver varias veces el rostro, extasiándose al contemplarla.

Había visto en ella la encarnación de la *Ofelia* y la *Julieta* de Shakespeare, la *Carlota* de Goethe, y sobre todo la mujer ideal de las leyendas que bullían en su mente.

Aquella tarde estuvo muy expansivo, y en las sucesivas volvimos a la calle de la Justa, entrando por la de la Flor Alta, torciendo a la izquierda para volver por la calle de la Estrella a la de San Bernardo y dirigirnos a nuestro solitario paseo.

Siguiendo aquel camino, si las jóvenes estaban asomadas al balcón podíamos verlas durante más tiempo, lo que por fortuna nuestra sucedía casi siempre.

No tardé en saber quiénes eran aquellas dos interesantes señoritas, y como la que sin sospecharlo inspiró a Bécquer todas las rimas amatorias debe pasar en su compañía a la posteridad, siquiera sea como la *Laura* del Petrarca, diré que se llamaba Julia y que era hija del compositor don Joaquín Espín y Guillén, profesor del Conservatorio y autor de obras musicales que le alcanzaron gran notoriedad.

Amigo mío era un hijo del citado maestro, que fue a su vez un distinguido músico, y cuando adquirí estas noticias y me enteré de que en la casa de aquellas jóvenes se celebraban muy interesantes conciertos, propuse a Bécquer que asistiéramos a ellos. Mi indicación fue rotunda y categóricamente rechazada. Prefería el ideal a la realidad. Aquella Julia fue su inspiración; cuando cesaban de verla sus ojos la veía su espíritu; amó al alma que adivinaba, y por lo mismo que le revelaba los más recónditos y hermosos sentimientos de la mujer, no quiso conocerla, ni siquiera oír su voz. Mantenía con ella unas relaciones ideales, vivía de una ilusión. ¡Candidez, puerilidad!, dirán los que se llaman hombres prácticos; pero de estas puerilidades y candideces brotan las rimas que se eternizan y eternizan a los ilusos que las producen.

Dos años después, vencidas las dificultades, empezó Bécquer a abrirse camino, y sólo por rara casualidad vio alguna que otra vez a su Julia. ¡Qué le importaba no sostener con ella relaciones amorosas si siempre estaba en su alma su recuerdo!

7.   *En* Juan de Mairena. Sentencias, donaires, apuntes y recuerdos de un profesor apócrifo, *don Antonio Machado expone su opinión sobre Bécquer y su poesía. El texto está tomado de la edición de José María Valverde, en Clásicos Castalia (núm. 42), pp. 239-240:*

(Sobre Bécquer.)

La poesía de Bécquer —sigue hablando Mairena a sus alumnos—, tan clara y transparente, donde todo parece escrito para ser entendido, tiene su encanto, sin embargo, al margen de la lógica. Es palabra en el tiempo, el tiempo psíquico irreversible, en el cual nada se infiere ni se deduce. En su discurso rige un principio de contradicción propiamente dicho: *sí, pero no; volverán, pero no volverán*. ¡Qué lejos estamos, en el alma de Bécquer, de esa terrible máquina de silogismos [1] que funciona bajo la espesa y enmarañada imaginería de aquellos ilustres barrocos de su tierra! ¿Un sevillano Bécquer? Sí; pero a la manera de Velázquez, enjaulador, encantador del tiempo. Ya hablaremos de eso otro día. Recordemos hoy a Gustavo Adolfo, el de las rimas pobres, la asonancia indefinida y los cuatro verbos por cada adjetivo definidor. Alguien ha dicho, con indudable acierto: «Bécquer, un acordeón tocado por un ángel.» [2] Conforme: el ángel de la verdadera poesía.

8.   *La segunda parte del libro de José Pedro Díaz a que nos hemos venido refiriendo,* Gustavo Adolfo Bécquer. Vida y Poesía, *está dedicada a la «Poesía». Como muestra de esta gran obra, hito dentro del campo de los estudios becquerianos, reproducimos un fragmento dedicado al estilo de las* Rimas *(pp. 396-400):*

Como una constante que domina sobre las rimas de Bécquer queremos indicar ahora lo que llamaremos la sustantividad de su poesía.

Es la de Bécquer, en efecto, poesía sustantiva y no adjetiva. Poesía que, en su aparente desnudez —que pudo en algún caso confundirse con pobreza—, busca dar con su más honda verdad sin detenerse a adornar sus hallazgos. La hermosura es allí adecuación, exactitud, no adorno. Y la impresión última que esa desnuda y, por lo tanto, más *pura* poesía nos deja, es la de su fatalidad.

Cuando la experiencia poética es tan total y avasalladora como el poeta nos la describe, toda la energía del creador se polariza en un esfuerzo por asir lo poético esencial, lo poético como vivencia, y quedan para después —un después que será nunca— los recursos en definitiva exteriores y, por lo

---

[1] *silogismos:* argumentos que constan de tres proposiciones, una de las cuales, la tercera, se deduce de las dos primeras.

[2] La cita es de Eugenio d'Ors.

tanto, impuros de la retórica. No hay tiempo para ello. Antes que nada precisar, asir, expresar esas emociones que la intuición señala como primordiales.

De ahí deriva, seguramente, la impresión de desnudez y aun de pobreza que en alguna oportunidad se señaló: El aparente descuido para lo accesorio es consecuencia de una atención tensa y vigilante para lo primordial. Y no es descuido, además. La forma es allí sierva sumisa de la emoción que ha de expresar. No puede ni independizarse ni usurpar un primer plano. Un vaso trabajado no siempre deja ver con nitidez su contenido; el artesanado que Bécquer prefiere es el que procura la más limpia transparencia.

Su poesía es poesía orientada o dominada por la fantasía —diremos usando de la distinción que De Sanctis empleaba para caracterizar la lírica de Dante— y no por la imaginación. El juego de la imaginación, que se complace en la invención de metáforas y tropos, no es casi nunca lo más hondo de su poesía. Hay en él una evidente necesidad de inmediatez para con lo cantado (materia o fantasma) y por ello la expresión directa, inmediata, le es necesaria. También en este sentido debe recordarse cuanto él decía de *una poesía natural, breve, seca...*

«Sabed que en poesía —sobre todo en poesía— (escribía D. Antonio Machado) no hay giro o rodeo que no sea una afanosa búsqueda del atajo, de una expresión directa; que los tropos, cuando superfluos, no aclaran ni decoran, sino complican y enturbian; y que las más certeras alusiones a lo humano se hicieron siempre en el lenguaje de todos.»

Es esa necesidad de inmediatez la que hace que los tropos no suelan ocupar el primer plano de su poesía. El tropo, lo mismo que la imagen, salen del segundo plano adjetivo en que suele mantenerlos el poeta, sólo cuando son el instrumento indispensable para la mención del objeto poético. Para la difícil, para la impalpable materia hecha de sueño y realidad entremezclados que el poeta quiere a veces asir, el lenguaje directo no alcanza. «Trata de ser preciso y te verás obligado a ser metafórico», escribió Middleton Murry, y así ocurre en Bécquer. La imagen entonces, los tropos, rompen el fijo esquema del lenguaje directo, y lo hacen ondular entre formas que enumera, a la vez que las desdeña, superándolas. Pero aun en estos casos es difícil ver salir al tropo de su normal condición subordinada. Lo que antes decíamos de la *fatalidad* de esta poesía se opone al desarrollo de lo ornamental. O, por lo menos, limita ese desarrollo y mantiene los valores ornamentales en su condición de tales, impidiéndoles asumir una sustantividad que hurte la visión directa del mundo —y del trasmundo— que el poeta ha de cantar.

Poesía sustantiva y no adjetiva, decíamos, para señalar no la ausencia de adjetivación, sino el carácter subordinado de esta última.

Y si indicamos ese carácter es porque creemos que no se trata, tan sólo, de una *manera* más o menos exterior. *El estilo es, por sí mismo, una manera absoluta de ver las cosas*, decía Flaubert. Como siempre, una forma revela, en definitiva, una actitud espiritual profunda.

No es, en efecto, sólo una exterior manera becqueriana la frecuente inversión de la frase que comienza con los complementos y deja el nudo gramatical para el fin de la estrofa. Hay un movimiento espiritual definido que le obliga a dejar como preparación ambiental, como borroso contorno poético todo lo que no sea el hecho mismo, significativo y misterioso centro de su poesía, que él suele proponer, limpio y desnudo al fin de la oración. Véase, como ejemplo, la primera estrofa de la rima VII:

> *Del salón en el ángulo oscuro,*
> *de su dueña tal vez olvidada,*
> *silenciosa y cubierta de polvo,*
> *veíase el arpa.*

Los hechos son para él significativos poéticamente. Enumera, por ello, primero las condiciones que orientan al lector en la zona de significados que él quiere acentuar, pero luego le obliga a ver el hecho desnudo, solo, sin adjetivaciones.

Véase también cómo, obedeciendo a la misma necesidad, el término secundario de una composición precede al principal en la rima VI.

Crea así Bécquer una expectativa, indica un cauce, y luego cae ceñidamente a su tema, que suele ser un elemento de la realidad; realidad material o figuración ideal, un matiz de su sentimiento o una forma de su fantasía:

> *Cuando sobre el pecho inclinas*
> *la melancólica frente,*
> *una azucena tronchada*
> *me pareces.*
>
> XIX

El hecho poético es aquí su *parecerle;* no la imagen de la azucena ni la realidad de la mujer, sino aquella emoción suya que hizo posible la comparación con la imagen, y ése es el hecho que queda vigorosamente acentuado, y desnudo, en el último verso de la estrofa.

Ni los tropos ni las imágenes pretenden sustituir la realidad que mientan. En este sentido la afirmación que antes hicimos parecería contradictoria: dijimos que su poesía no es ornamental; y no lo es precisamente porque sus tropos lo son de manera definitiva, porque reducen su oficio a la creación de círculos de evocación poética que quedan subordinados a los hechos, a la materia cantada, la cual mantiene, ésta sí, su total sustantividad. A diferencia, por ejemplo —y elegirnos el caso extremo— de un escritor barroco, que sustituye los valores reales por sus equivalencias poéticas y crea, sobre la serie de lo real, una serie paralela pero diferente de correspondencias metafóricas, para operar sobre éstas en abandono de aquéllas, el juego poético pugna, en Bécquer, por no desprenderse de los sustratos reales que canta. El hallazgo de la imagen poética no es en él una manera de instalarse en una zona de sobrerrealidades de categoría estética paralela, pero independiente de la realidad cantada. La *materia* es casi siempre mentada por Bécquer y luego rodeada, enriquecida, cantada, en definitiva, pero muy rara vez sustituida totalmente por un ente de categoría poética.

De ahí que, realizando frecuentemente su poesía en un mundo de puras imágenes, más allá de la metáfora y en lo más exquisito de la formación poética, la imagen misma se mantenga casi siempre violentamente conectada al tema. Con frecuencia la imagen es uno de los términos de una comparación:

> *Despierta ríes y al reír tus labios*
> *inquietos me parecen*
> *relámpagos de grana que serpean*
> *sobre un cielo de nieve.*

XXVII

Los labios, que son el motivo de la imagen, no desaparecen, no pueden ser sustituidos por aquélla.

9. *Al final de la Introducción, reproducíamos una nueva rima atribuida a Bécquer en el estudio de Juan María Díez Taboada «Textos olvidados de Gustavo Adolfo Bécquer: Una nueva rima y una nueva versión»* (Revista de Literatura, *núm. 86, julio-diciembre 1981, pp 63-83). El fragmento siguiente es el comienzo de dicho artículo:*

Los textos de Bécquer han tenido una vida tan azarosa como la de su dueño y han andado errantes a veces mucho tiempo buscando asilo en revistas y periódicos, rodando por diversos mundos, arcas y bolsillos. Dejando aparte el autógrafo mayor de Bécquer, el cuaderno que lleva por título *Libro de los Gorriones*, los demás manuscritos con poemas becquerianos están recogidos en hojas sueltas de papel, a veces plegado varias veces, o en papeletas de tamaño reducido. Hay ocasiones en que la veneración por el poeta ha hecho que se hayan arrancado de los álbumes dedicados a diferentes damas, las hojas que contenían versos autógrafos del poeta, con lo que estas hojas han quedado también sueltas. Es sabido cómo algunas poesías de Bécquer no nos son conocidas por decisión de Antonio Machado, por una parte, y de Gerardo Diego, por otra, los cuales dan noticia de sus acciones tratando de justificarlas. Dos autógrafos de Bécquer quemó Machado en honor, según dice, del divino Gustavo, los cuales contenían dos composiciones inéditas. Gerardo Diego, a su vez, no quiso dar a la imprenta otra composición en verso conservada en dos versiones autógrafas diferentes, por considerar que estos son documentos privados, que no ayudan a conocer mejor el talento del poeta, ni traen nueva luz sobre detalles todavía no claros de su biografía. También por pudor, parece que los editores de Bécquer no quisieron incluir la Rima «Una mujer me ha envenenado el alma» en la edición póstuma de 1871, así como tampoco otras dos, las que comienzan «Fingiendo realidades» y «Dices que tienes corazón». Sólo esta última podría decirse que no fue publicada por las mismas razones que la primera. Las tres fueron dadas a conocer por Franz Schneider en 1914, al describir el *Libro de los Gorriones*, en el cual aparecen transcritas. De ellas hablaremos más adelante en este mismo artículo, refiriéndonos sobre todo a las distintas versiones que aparecieron de la primera a partir de 1901. Los editores de Bécquer se atuvieron sustancialmente a este autógrafo principal para la edición póstuma de las Rimas, y no parece que tuvieran en cuenta las versiones que se habían publicado anteriormente ni las de los manuscritos sueltos. Sin embargo, en la cuarta edición, que apareció el año 1885, se incluyeron dos nuevos poemas de Bécquer, sin situarlos dentro de la colección de las Rimas. Se trata de los titulados «Amor eterno» y «A Casta», que no habían sido publicados anteriormente. Junto a ellos apareció también, en la misma cuarta edición, otro poema que comienza «Es un sueño la vida», el cual se da como «poesía inédita», siendo así que había sido publicado por Eduardo Lustonó en 1872 en *La Correspondencia Literaria*. Junto con este poema y en este mismo periódico había publicado también Lustonó otro poema de Bécquer, inédito ...sta ese momento, el que comienza «Lejos y entre los árboles», y poco antes, y también en el mismo periódico, la Rima VII, en versión idéntica a la de la edición de 1871. En el *Almanaque de El Mercantil Valenciano para 1883* y firmado por Bécquer se publicó otro poema, que hay que suponer aparecería poco antes, a finales del año 1882, como era usual en tales almanaques. Es el que comienza «Solitario, triste y mudo...». Otro poema más, «La gota de rocío», fue publicado por Gestoso Pérez en *La*

Ilustración Artística de Barcelona a finales de 1886, año en que se celebraba
el cincuenta aniversario del nacimiento de Gustavo y mucho después,
cuando se celebraban los cien años, en 1936, Pedro de Répide dio a
conocer otro poema inédito de Bécquer, que comienza con el verso «En el
fondo del mar nace la perla». Répide no da cuenta alguna de la procedencia del poema.

Quedan todavía algunas otras atribuciones de poemas a Bécquer. En
primer lugar, las de Iglesias Figueroa, de las cuales no es preciso hablar ya
a estas alturas, por haber resultado apócrifas, y en segundo lugar, la hecha
por Gamallo de la quintilla publicada en *El Contemporáneo* en 1861 y que
comienza «Fue la gota de rocío». Hay sin duda razones para atribuirla a
Bécquer, por el lugar donde se publicó, y que es el mismo en que dieciocho días antes había aparecido la Rima XXIII, la cual figura en la sección
de «Gacetilla» de dicho periódico, igual que la quintilla a que nos referimos. Podría ser de Gustavo, si bien posee cierto regusto convencional que
no indica el Bécquer más auténtico y original. En contra sólo encuentro un
par de argumentos, aunque bastante fuertes. Primero, naturalmente, el
hecho de que a diferencia de la Rima XXIII, el texto de ese poema no se
encuentra bajo el título de «Rimas de Gustavo Adolfo Bécquer» en el
manuscrito autógrafo ya citado de la Biblioteca Nacional. Eso mismo, sin
embargo, le pasa también a otros poemas de Bécquer o atribuidos a él,
entre los que hemos señalado. Segundo, y para mí más decisivo es el hecho
de que Rodríguez Correa, editor de Bécquer y compañero suyo en la
redacción de *El Contemporáneo*, no incluya este poema en la edición póstuma
de las *Obras* de Gustavo. Él tenía que saber muy bien de quién eran y a
quién pertenecían las poesías y los artículos publicados anónimos en el
periódico, y tanto más cuanto que el propio Correa era el autor, según
parece, de muchas de las publicaciones de esa sección de *El Contemporáneo*,
«Gacetilla de la capital».

Después de este recuerdo de los textos de Bécquer o atribuidos a él,
vamos ahora a dar cuenta de un par de nuevas atribuciones. Concretamen-
te la de un poema olvidado que hasta el momento, que yo sepa, no ha sido
recogido en ninguna edición de poesías de Bécquer. Comienza por la frase
«Aire que besa...» y fue publicado en el periódico *Nuevo Mundo* por José
Ortiz de Pinedo, el cual en el artículo que dedica a presentarlo y comentar-
lo, hace referencia a otro poema publicado, dice, «por un ascendiente mío
en el periódico *Gente Vieja*». Este otro poema resulta ser el de «Una mujer
envenenó mi alma...», que antes hemos mencionado.

José Ortiz de Pinedo dice en el artículo a que nos referimos, que estas
dos poesías son de las varias de Bécquer que quedaron todavía inéditas
después que «La muerte del poeta hizo que se reunieran en varios tomos las

obras completas y salieran de injustos olvidos e ingratas condenaciones a lo inédito, muchos preciosos versos de aquel hijo del dolor y de la tristeza». Con esto parece insinuar que otros poemas se habían quedado *ingratamente condenados a lo inédito* y entre ellos el que él mismo publica, que comienza con las palabras «Aire que besa», así como el citado «Una mujer envenenó mi alma...», del que sabemos positivamente que en efecto fue condenado a lo inédito, al no ser incluido junto con otros dos, como ya hemos dicho, entre las Rimas publicadas por los amigos de Gustavo en la primera edición de sus obras, con todo y figurar en el autógrafo principal de las Rimas. De «Aire que besa...», que consta de dos estrofas, sería quizás la segunda, de cariz tan amargo y heiniano y llena de directas invectivas contra la mujer, la que haría que los editores se resistieran a su publicación. Lo que no está claro es por qué ahora precisamente en los comienzos de siglo, se deciden los Ortiz de Pinedo a publicar estos dos poemas *condenados*, si es que hubo alguna razón especial. Parece ser que la causa de la condenación de estos poemas había sido el respeto de los amigos de Gustavo por Julia Espín, convertida en honorable esposa del exministro Don Benigno Quiroga, ya que se suponía con bastante fundamento que sus invectivas iban dirigidas contra ella. La decisión de los Ortiz de Pinedo, sin embargo, no se debe a la desaparición de Julia, ya que su muerte no ocurre hasta finales de 1906, y la verdad es que, como luego veremos, desde 1901 se había desarrollado una pequeña competición entre los poseedores de poemas aún inéditos de Bécquer, por ver quién los publicaba antes.

Orientaciones para el estudio de las *Rimas*

El estudio de una obra literaria requiere el examen de los elementos que ofrecen las claves que adentran en ella al lector, el cual, sin abandonar su visión subjetiva, ni siquiera su sentimiento ante un determinado texto, tiene que considerar todos los puntos objetivos analizables desde una perspectiva teórica y crítica del hecho literario. En este sentido, el estudio de las *Rimas*, obra lírica por excelencia, supone entrar en un universo literario que encierra claves poéticas de gran envergadura, y que requiere, por tanto, una especial atención. Temática y estilo son, *grosso modo*, los constituyentes básicos sobre los que hay que echar a andar en un intento de análisis, y el entramado que una y otro desarrollan en la obra literaria es lo que a ésta le confiere sus peculiaridades específicas. En el caso de las *Rimas* el estudio de esos constituyentes, aparentemente simples, tiene como peculiaridad que, por una parte, en poesía forma y contenido se imbrican de tal manera que constituyen una unidad, y, por otra, se trata de la obra de Bécquer, para quien «la poesía es el sentimiento». Según esto, la creación de un poema se convierte en una elaboración de estilo a partir de las sensaciones que el poeta quiere «describir», incluso «transmitir», y el poema viene a ser una organización lingüística cuya única finalidad es ella misma, como ya observaron Poe y Baudelaire. Así, en una rima, el lenguaje que le da sentido evoca el sentimiento anímico del poeta como su forma de sentir e interpretar algunos aspectos del mundo real, pues en ella Bécquer ha querido reflejar un hecho más o menos constatable, pero la expresión, la elabora-

ción del poema, responde a los principios de selección y combinación que él ha escogido y ordenado según su criterio artístico, y
con unos fines literarios a la par que emocionales. De hecho, en
Bécquer, el sentimiento y la interpretación del mundo real son el
producto no de una observación reciente, sino del recuerdo tami-
zado de sensaciones subjetivas: sus poemas se convierten así en
visiones íntimas impregnadas de proyecciones espirituales que ra-
yan en visiones que pudieran calificarse de «cósmicas», puesto que
superan las vivencias cotidianas al pasar del sentimiento inmediato
a la sensación rememorada, en la cual la realidad deja de ser
efectiva y el recuerdo se convierte en vivencia.

Con respecto a lo que se acaba de exponer, véase:

— la relación sentimiento-estilo (tema-forma) en las rimas
II, XV, XLI, LII;

— el poder sugestivo de las imágenes en las rimas XIII, XV,
XXVII, XLI;

— el desarrollo de los conceptos «forma-idea» en la rima V;

— los matices descriptivos de las rimas LIII, LXXIV.

Universo poético becqueriano

Cuando en 1871 los amigos de Bécquer ordenan las *Rimas*, lo
hacen como si su composición respondiera a una trayectoria sentimental del poeta. Sin embargo, aunque abundan los poemas dedicados a la mujer o relacionados con ella, no puede hablarse de un
tema amoroso únicamente, pues también las reflexiones sobre la
Poesía y la misión del poeta, o sobre la muerte y el tiempo (estas
últimas en menor medida), así como las descripciones diversas,
conforman el universo poético becqueriano que se caracteriza por
un tipo de expresión rica en matizaciones que desvela la sustancia
temática por medio de evocaciones, imágenes, visiones, etc., etc.

Búsquense rimas cuyos temas:

— respondan a una reflexión y a una descripción;

— se ajusten a los varios que se han enunciado (amor, muerte...);

— reflejen la visión de la tarea del poeta como persona llamada a desvelar las bellezas eternas que el resto de los hombres ni puede atisbar;

— lleven implícito el sentimiento de melancolía.

Sin embargo, como hemos dicho, la calidad de un poema no radica en el tema, sino en el tratamiento que el poeta hace de él. En este sentido, Bécquer elabora sus temas con la sutileza y el arte que confieren a las rimas su carisma de inmortalidad. La exposición de un tema se desarrolla mediante fórmulas que, bien de modo referencial, bien por medio de imágenes y connotaciones, van ofreciendo de él una perspectiva que, a su vez, responde a la visión que el poeta quiere transmitir. Por otra parte, es común que un autor utilice unas imágenes específicas, siempre las mismas, en una misma obra, aspecto que, interpretado como recurrencia estilística, indica la unidad de esa obra. En las *Rimas*, las imágenes cobran un gran interés dada su índole formal (composiciones cortas que contienen la expresión de una sola idea), la intención del poeta (comunicar en ellas con un mínimo de expresión), y el subjetivismo del género lírico al que pertenecen. Quiere esto decir que cualquier núcleo temático requiere una concentración (no acumulación) expresiva que, para no resultar una amalgama, ha de estar elaborada con sutileza y maestría, con el fin de ajustar cada uno de los planos lingüísticos —fónico, morfosintáctico y semántico—, pues, mediante la ordenación del material sonoro, la construcción sintáctica y la selección léxica llegará la formalización poética.

Como ejemplo, veamos tres fenómenos correspondientes a los distintos niveles lingüísticos, los cuales representan algunas de las claves propias del idiolecto becqueriano, de su forma específica de expresión:

a) En cuanto al principio de selección léxica, es clara la tendencia a utilizar imágenes del mundo sensorial que proliferan frente a las que podrían denominarse conceptuales, más comunes en las rimas finales de la ordenación de 1871. Así, el mundo de las formas, de la luz, de los sonidos, será el referente becqueriano más próximo, aunque la realidad a la que las rimas remitan sea la sentida (o tal vez la percibida) por el poeta. Las imágenes de la rima VIII pueden servir como ejemplo de lo que acabamos de decir, puesto que son la descripción de un mundo anhelado, lejano, al que el poeta tiene que acceder por medio de un movimiento vertical (verbos *flotar* y *subir*), un mundo impreciso e inestable *(dorado e inquieto, ...temblar como ardientes pupilas de fuego)*. Este tipo de descripciones y definiciones, siempre vagas, difusas, vacilantes y ambiguas, son las características de las *Rimas*.

b) Por lo que respecta al nivel morfosintáctico, Carlos Bousoño, en su famoso artículo titulado «Los conjuntos paralelísticos de Bécquer», demuestra que ciertas rimas se ajustan a una elaborada estructura paralelística: «el sistema paralelístico —dice— es uno de los medios que Bécquer utiliza para incrementar la emoción».

c) En lo referente al fónico, ya hablábamos en la introducción de la innovación que suponía la rima becqueriana, una rima atenuada, de «asonancia indefinida», como la define don Antonio Machado, al ser asonante y alterna. Bécquer debió trabajar con esmero la rima de sus composiciones, pues en uno de los manuscritos autógrafos de la rima LXXIII *(Cerraron sus ojos)*, en la parte izquierda y en sentido perpendicular, hay una lista de palabras con asonancia *e-o*, la asonancia del poema; las palabras en cuestión son las siguientes: *cortejo, duelo, deudos, lastimero, huecos, sepulturero, ecos, secos, estrecho, reflejo, yerto, viejo*. De estas doce palabras, Bécquer sólo utilizó ocho entre los versos 48 a 92.

Analícense estos tres fenómenos en las rimas VIII (selección léxica), XIII (paralelismos), LVI (rima). En los tres casos relaciónese el rasgo estilístico que se analiza con el contenido temático del poema correspondiente.

La elaboración estilística guarda relación estrecha con el desarrollo temático, e igual que se dan las recurrencias formales que atestiguan la unidad de las *Rimas*, puede percibirse la unidad a través de estructuras que se repiten y de la redundancia de motivos e imágenes. Ahora bien, de la misma manera que existe una posible clasificación temática en varias series (poesía, amor, desengaño y dolor, según J. P. Díaz; véanse otras en la Introducción), existen variantes formales y de tratamiento del tema que no siempre coinciden con las series mencionadas; así, por ejemplo, las rimas XVII, XIX, XX, XXI, XXII, XXXV, etc., por su expresión breve y concisa se acercan al epigrama, pues parece que en ellas Bécquer quiere grabar un hecho que le ha afectado emocionalmente de manera profunda, y tras una sucinta exposición culmina con un epifonema que a la par de exclamación es la reflexión que compendia el pensamiento expuesto: «¡Hoy creo en Dios!», «Poesía... eres tú», «yo no sé / qué te diera por un beso», «eso... ni lo pudiste sospechar», etc. (véase **17**). También provoca un cambio de tono el hecho de incorporar conceptos nuevos, al tiempo que un tratamiento distinto de los motivos, y va incrementando el uso de la interrogación retórica a medida que los temas se hacen más íntimos y reflexivos.

— Analícese la expresión epigramática de las rimas XXIII, XXXVIII, LX, LXXVII.

— Véanse las diferencias de significado de los motivos «agua», «viento», «luz»/«fuego» en las rimas IV, XXIV y LII, correspondientes a las series primera, segunda y cuarta, respectivamente; relaciónese el resultado con el tratamiento de los dos primeros («agua», «viento») en la rima XLI, de la serie tercera.

— Véase el tema expresado por la interrogación retórica en las rimas XLII, XLIII, XLIV, XLIX.

La poesía fue para Bécquer la exigencia de una fuerza profunda emanada de su espíritu; para él, la tarea del artista es hallar un lenguaje que transcriba sus sensaciones, pues de esa manera él, el creador, descubrirá una nueva dimensión, frontera entre lo perceptible y la ensoñación, entre lo visto y lo imaginado, entre «la realidad y el deseo», «el mundo de las formas y el mundo de la idea». Y así el lenguaje se hace símbolo de una realidad interior: la descripción expresa acontecimientos del alma, y la reflexión —originada siempre por el sentimiento— ahonda en la causa o el efecto del dolor. La exploración en las posibilidades del lenguaje es la respuesta primera de Bécquer a esa necesidad imperiosa; después, es la aventura espiritual de llegar a lo inefable, estableciendo relaciones y convergencias inusitadas, provocando visiones rayanas en lo inorgánico e ignoto, imágenes que parecen querer cambiar el orden del mundo (XIV, XV, XVIII, XXV...); por último, describiendo cuadros que pueden parecer fieles reflejos de lo real, pero que una vez más son efectos y sensaciones originados en una idea previa a la contemplación de un objeto, y que reviven evocaciones del deseo (XLV, LXX, etc.).

Búsquense los rasgos lingüísticos que caracterizan la relación forma-contenido en los tres núcleos temáticos mencionados, centrándose en las rimas III, IV, XIV, XV, LXXIV, LXXVI. Estúdiense las relaciones que en este sentido hay entre las cuatro últimas y la LXXI; ¿puede considerarse ésta como una síntesis de los otros dos tipos de descripción?

El poeta Gabriel Celaya ha escrito: «La rima becqueriana más que una música es un presentimiento de músicas posibles. Incisa, suspensa y abierta a nuestras propias prolongaciones se presenta: es una melodía que no acaba y que se queda en la niebla, en el viento, en la profundidad sin límite.» Esa musicalidad conseguida por Bécquer en las *Rimas* representa una metafísica del lenguaje que recrea el mundo de los sentidos, mundo al que el poeta accede por medio de figuras de dicción y tropos que simbolizan una visión-idea, una irrealidad sensible, mediante definiciones reiteradas de rasgos imprecisos y fugaces. El ámbito poético de Bécquer es el musical y el plástico, ámbito que, en principio, debiera desbordar los límites del lenguaje; pero su cometido como poeta será precisamente superar esa barrera y arrancar a la palabra ritmo y color mediante una sucesión rápida de impresiones-motivo y de figuras-sonido, las cuales, moldeadas por la emoción, buscan correspondencias léxicas pertinentes entre lo visible, lo invisible, la percepción extralingüística, la sugestión imaginaria, la evocación... Son las corrrespondencias de que habla Baudelaire: *Comme de longs echos qui de loin se confondent...* / *les parfums, les couleurs et les sons se répondent* («Como largos ecos que desde lejos se confunden... / los perfumes, los colores y los sonidos se responden»).

Novalis, a fines del siglo XVIII, en *Heinrich von Ofterdingen*, escribe: «La lengua es en realidad un pequeño universo de signos y sonidos. El hombre es dueño de él, pero también quisiera serlo del otro universo, el grande, y hacer de él la libre expresión de sí mismo. En esa alegría de expresar en este mundo lo que está fuera de él, de realizar la aspiración esencial y primitiva de nuestro ser, es donde se encuentra el origen de la poesía.»

— Tras ver los rasgos expresivos becquerianos, determinar si, en sus planos formal y de sentido, tienen relación con las palabras de Novalis.

— Hágase una enumeración de esos rasgos en las rimas XVI, XXIV, XXVIII, LXXV.

Y junto a las impresiones musicales, el lado plástico de lo inefable, los efectos de oro y sol, de fuego y luz, escenarios surgidos de la fantasía, imágenes de contornos iluminados y confusos, esbozados por el cromatismo y la luminosidad, con los que el alma del poeta se funde en unión inmaterial. La impresión la describe en *Cartas desde mi celda* (III): «El sol resbala suavemente sobre los objetos, los ilumina o los transparenta, aumentando la intensidad y la brillantez de sus tintas, y parece que los dibuja con un perfil de oro para que destaquen entre sí con la limpieza.» Impresión que le lleva a buscar las correspondencias entre el objeto y la esencia, y cuyo efecto serán descripciones que se configuran por medio de imágenes que equivalen a pinceladas sutiles, a toques leves que dejan la imagen suspendida y en quietud tras un fugaz movimiento ascensional que las aparta de la tierra.

— ¿Por qué se ha calificado al procedimiento literario que expresa la unión de varias sensaciones como «teoría mística de la unidad primitiva de los sentidos»? Búsquese un ejemplo para la respuesta en las rimas de la serie primera (I a XI).

— En distintos momentos de la historia del pensamiento se han establecido determinadas correspondencias entre sentidos y elementos de la naturaleza; así, Platón relaciona la *vista* y el *oído* con el *fuego* y el *aire* respectivamente, mientras que Aristóteles los mismos sentidos los une con *agua* y *aire*, y Swedenborg con *éter* y *aire*. ¿Pueden encontrarse estas relaciones en las *Rimas*? ¿A cuál de los tres filósofos está más próximo Bécquer en este sentido?

— Obsérvese la sensación de fugacidad e ingravidez en las rimas II, III, VIII, XXIV, y por medio de qué imágenes se ha conseguido esa sensación.

Cuando la descripción se centra en una mujer, los procedimientos son los mismos, la luz sigue siendo símbolo de lo inefable, y en las últimas rimas el objeto de su pasión lo constituye la mujer-luz, el perfil iluminado que sigue siendo evanescente, inaccesible, visión mística, en fin, situada fuera del tiempo y, a diferencia de las primeras rimas, instalada en un mundo de sombras.

— Compárese el retrato que ofrecen las rimas LXXIV y LXXVI con el de las XXV y XXXIV. Después de analizar los rasgos descriptivos de ambas, véase si algunos evocan pasajes de la rima XXVII. ¿En qué porcentaje aparece la evocación de unos y otros? ¿Puede encontrarse algún parangón entre la estatua y el cuerpo vivo dormido? ¿Por cuál de las dos visiones parece inclinarse Bécquer? ¿Puede decirse que para él es más preciosa la estatua que el cuerpo viviente, la posición horizontal que la vertical? ¿Cómo refleja ese sentimiento si es que lo hay?

— Baudelaire llama al sueño «lo brillante, misterioso, perfecto como el cristal». Según las cuatro rimas analizadas, ¿puede decirse que Bécquer tiene la misma apreciación?

En otros casos, las descripciones son concretas, reproducciones de figuras estéticas, determinadas, aunque estilizadas hasta el punto de trascender el mundo referencial; en ellas la contemplación parece retenida y salpicada de sentimiento reflexivo, más que cribada por el subjetivismo del autor; parecen cuadros explicativos de una visión que ha afectado su sensibilidad artística. Centradas en recintos cerrados, mantienen evocaciones de lo que fue y aluden al misterio de lo desconocido latente, pasado y futuro.

— Analícense los rasgos pictóricos de las rimas LXX y LXXIII, y relaciónense con lo expuesto a propósito de este tipo de descripciones.

— Búsquense otras rimas en que también aparezcan descripciones de espacios que el poeta siente como símbolos.

— Compárense las imágenes de las descripciones de «espacios infinitos» y las de «espacios cerrados». ¿Puede pensarse que las dimensiones de verticalidad y horizontalidad, dominantes respectivamente en cada uno de ellos, asocia unos símbolos visuales y sensoriales distintos, como luz-sombra, por ejemplo?

— Las efusiones emocionales ¿son menores en estas descripciones, o simplemente distintas?; ¿en qué difieren? ¿Puede hablarse en éstas de un pensamiento metafísico, frente al sentimiento místico a que hacíamos mención al referirnos a las primeras?

La tercera serie de las *Rimas* (XXX a LI) incluye las denominadas «del desengaño», y forman un núcleo dentro del universo

poético becqueriano. Dice José Pedro Díaz que en ellas «la referencia autobiográfica parece más directa y [...] se expresa una
herida más desnuda». Ve en ellas el crítico mayor concisión y las
relaciona con la poesía popular andaluza. El tono de sufrimiento se
hace patente en ellas, un sufrimiento que conduce al poeta a una
expresión más íntima, a una mayor dramatización de los temas, a
una valoración aparentemente objetiva del «tú» de la amada, y, en
su crisis sentimental, a la consideración de la vacuidad del mundo.

— ¿Presentan estas rimas características propias de un «dia-
rio íntimo»?; ¿en qué momento?; ¿de qué modo están expresadas?

— ¿Qué sentimiento predomina en ellas, la angustia del
poeta, la pasividad, el paso del tiempo, la presentación de la
«mujer desidealizada» (ver clasificación de Díez Taboada en la
Introducción)?

— Al referirse a la mujer, ¿predomina la segunda persona o
la tercera? Relaciónese el uso de una u otra con el tema que
trata, teniendo en cuenta que, mientras la segunda persona
debe considerarse como un nombre personal propio del diálogo,
la tercera es un sustituto y se refiere al universo del discurso,
por lo que el empleo de una u otra puede connotar cercanía o
distanciamiento.

Son estas rimas de sentimiento-reflexión en que proliferan los
motivos «muerte» y «lágrimas», y hacen aparición el «hierro» y la
«herida» como símbolos. Cada gesto o acción de la mujer provoc
una respuesta distinta en el poeta: algunas rimas son reflexiones;
otras, consideraciones condensadas en dos estrofas, de las ... .a
última sintetiza el contenido; incluso hay alguna descripción
(XXXIV) y expresión epigramática (XXXV). Tal vez la clave
del desengaño amoroso que desarrolla especialmente en las rimas
XLII, XLIII, XLIV, XLV y XLVIII, sea la rima XLI, en la que
la oposición *yo-tú* presentada en pasado cobra matices muy distintos de los que veíamos, por ejemplo, en la XV.

— Enumérense los distintos tipos de rimas, según la intención comunicativa del poeta.

— Detéctese en qué momento aparece el concepto «muerte», y véase en qué contexto se enmarca.

— Compárense las rimas XLI y XV; ¿difiere mucho la impresión del ritmo y el movimiento de una y otra?; ¿y las imágenes con que expresa esa sensación? ¿En qué radica la diferencia?

La intuición de la forma

La perfección descriptiva, expositiva y evocadora de las *Rimas* pasa por una fase que, si en la creación del poema debe considerarse primaria o concebida a priori, como fundamento previo, en Bécquer debió de ir unida a la génesis y elaboración del contenido de las distintas rimas, puesto que los versos y las estrofas parecen ir fluyendo con el tema. José Pedro Díaz se refiere a esta peculiaridad cuando dice que «son los primeros y más anchos caminos de su imaginación creadora, las primeras consecuencias de la emoción inicial. Porque esa emoción inicial viene justamente a determinar diversas estructuras poéticas según se presente como un desnudo y (aparentemente) inmotivado estallido sentimental, o tienda a ligarse a una representación o se ordene sobre un pensamiento». Así pues, la unidad de una rima se ajusta al desarrollo expositivo de una idea que ha surgido en la mente del poeta como respuesta a un estímulo externo vivido o percibido con emoción, sentimiento y sensibilidad. Responde ese desarrollo a la base temática, que mantiene una línea de contenido y que, aunque de aparente sencillez, encierra una complejidad meticulosa, producto de la reflexión poética y de la búsqueda de adecuación entre la forma y la idea representada.

Ahora bien, tal adecuación requiere al menos de tres momentos en su ajuste: la inclusión de motivos que apoyen el desarrollo del tema, la disposición de esos motivos y su adaptación a las estructuras formales. naturalmente, dependiendo de la índole del tema

—monólogo o dramatización, descripción pictórica o sugestión emocional, meditación reflexiva o definición de una actitud, etc., etc.— y de la impresión que el poeta quiere comunicar, así como de su intención de mostrar o de decir, la disposición del marco temático varía.

— Véase la organización temática de las rimas XIII, XXXI, LVIII, y el tipo de imágenes con que Bécquer expresa los motivos que las conforman. ¿Puede hablarse de una correcta concordancia entre tema y motivos?; ¿constituyen éstos, por el contrario, un contrapunto del tema?

— El tipo de ordenación estructural de las rimas es muy variado; búsquense ejemplos de casos en los que la estructura se presente como:

a) una secuencia de enumeraciones (ejemplos, rimas XXIV, XI);

b) una organización temática basada en ideas o imágenes antitéticas que sinteticen en una estrofa final (ejemplo, rima XLI);

c) una enumeración que presente una síntesis final (ejemplo, rimas II y LII);

d) el desarrollo de un tema a partir de una consideración inicial (ejemplo, rima IV). ¿Puede considerarse este tipo de rimas como descripción?

e) la consideración deducida de un hecho que presenta previamente (ejemplo, rima LXXIX);

f) la reflexión sobre una imagen observada (ejemplo, rima XVIII);

g) una secuencia de estampas (ejemplo, rimas LXX y LXXIII).

Las estructuras, unidades cerradas, presentan esquemas verdaderamente complejos, puesto que la ordenación no siempre sigue un orden lineal y de seriación simple: es fácil encontrar que una estrofa, cuando constituye una unidad de sentido, esté diseccionada en unidades menores que se complementan (rima XXV) o se oponen, como varias estrofas de la rima V; unas veces, los elementos antitéticos se imbrican sin estructura fija (rima LXIII), y otras, como en la rima LXVI, la conclusión queda anulada por la misma antítesis y por el tono confuso que confieren las interrogaciones. En algunos casos, la interrogación expresa perplejidad y extrañeza (rima LXXV), y con ellas se encuentra reforzada la mención explícita a esas sensaciones.

En fin, ante el cambio de contenido y de tono emocional, la estructura se adecua al tema y arrastra consigo un cambio de léxico, imágenes, sintaxis y ritmo.

El milagro expresivo

Todos los componentes del lenguaje becqueriano merecen atención, pues por medio de asociaciones lingüísticas quedan expresadas las sugestiones sonoras y rítmicas que lo caracterizan. Los tres niveles del lenguaje entran en juego en las fórmulas musicales de las *Rimas;* de la combinación de las tres emana el poema, y es imposible cuestionar cuál de ellos sea el primero o el fundamental, ya que los tres se combinan formando un todo, y aunque los constituyentes de cada nivel ofrecen propiedades diferentes, sus efectos coinciden, de modo que tantas connotaciones puede contener y producir una metáfora como una aliteración o un encabalgamiento. Por otra parte, puesto que la visión del mundo que una obra lírica ofrece no es una información objetiva, sino una subjetividad connotada, el lenguaje emocional concentra asociaciones de ideas fundamentadas tanto en las combinaciones sonoras como en las semánticas.

Así, a un metro ligero, de sonoridad tenue, en el que Bécquer logra nuevas combinaciones, asocia un léxico libre de retoricismo, incluso escaso en adjetivaciones, pero que evoca la relación del mundo sensible y del mundo figurativo del poeta.

Aunque los adjetivos son escasos y se reducen a epítetos y sintagmas preposicionales en los que entra en juego un nuevo sustantivo, son ambas fórmulas de gran plasticidad y resonancia.

puesto que confieren mayor densidad a un significado que se quiere destacar, como en los casos de «discorde estruendo», «sombra vana», «ternura infinita», «alta noche», «embriaguez del dolor», «ancha herida mortal», «leve bruma», etc., plasticidad que se incrementa cuando el epíteto añade un significado disémico o polisémico, como en «corazón inquieto». De capital importancia es en la poesía becqueriana la función que desempeña el verbo, pues a través de él lo sensible —visual y auditivo— adquiere una dimensión no sólo plástica, sino también dinámica.

> — Compárense los metros clásicos de algunas rimas (octava real, serventesio, quintilla...) que Bécquer compone a manera de ensayo, con las estrofas típicamente becquerianas, y véase si, *grosso modo*, también hay entre los dos grupos unas diferencias temáticas perceptibles.
>
> — Búsquense los adjetivos de las rimas XLV, LIV, LXIV, LXXVI, y véase si ayudan a expresar el mundo de sensaciones.
>
> — Los adverbios de tiempo y la deixis sitúan un texto en un tiempo y un espacio. ¿Con qué frecuencia se dan unos y otras en las *Rimas*? ¿La presencia de estos elementos tiene relación con el tema de la rima en que aparecen? ¿Se da una diferencia ostensible en las *Rimas* entre lo mostrado y lo generalizado?
>
> — En algunas rimas la acción se sitúa en tiempo pasado; ¿en cuáles preferentemente? ¿Qué finalidad expresiva pueden tener los tiempos futuros de las rimas LXI y LIII?
>
> — Analícese en las rimas XVI, XXXIV, LVI y LXX la importancia de los verbos en relación con el tema.

La aliteración y el encabalgamiento son dos soportes importantes a la hora de expresar sugerencias sensoriales; es la primera figura evocadora por excelencia, y con ayuda del segundo Bécquer infunde la precisión exacta al ritmo del verso y al movimiento contenido en la visión que quiere transmitir; veámoslo, por ejemplo, en los encabalgamientos abruptos de la rima XL: el sustantivo que abre el verso segundo, en las dos primeras estrofas, es un freno para el ritmo y un hito para la imagen —tú, torre; yo, roca—, aunque la impresión esté reforzada por el adjetivo precedente. Los paralelismos, como hemos visto, son importantes, y aportan esa tonalidad de idea duradera, de confidencia, con su rica variación de bimembraciones, plurimembraciones, y sus combinaciones de varios tipos, como la rima XXI, bimembre de cuatro pluralidades, la XXVII, la XLI... También los hipérbatos, que retardan las formas verbales y las fijan en el final de los versos, haciéndolas coincidir con el acento rítmico, provocando muchas veces una rima aguda que intensifica la cadencia.

La connotación y la simbología adquieren, tal vez, su más alto nivel y sus valores más sugestivos dentro de la poesía becqueriana, en la selección metafórica que, con frecuencia, es presentada mediante construcciones atributivas; el desdoblamiento entre lo objetivo y lo sentido, así como la connotación de una imagen asociada, propiedades inherentes a la expresión metafórica, ofrecen un material precioso a la poesía becqueriana. Caso perecido presenta la elaboración de símiles, de la que Bécquer es maestro, como puede verse a título de ejemplo en la rima XLVII, en la que compara elementos de la naturaleza con el alma humana.

— Localícense las aliteraciones de las rimas XV, XVI, XXXVII, XXXVIII, XLVI, LXVI, y señálese qué sugerencias evocan.

— Analícese la expresividad de los encabalgamientos de las rimas LIX, LXVI y LXX.

— Señálese el valor de los hipérbatos y verbos finales de las rimas LVI y LIII.

— Localícense algunas metáforas y véase de qué tipo son (aposicional, B en lugar de A, B es A, A es B, etc.). Inténtese encontrar su connotación o connotaciones. Obsérvese la fuerza visualizadora y sensorial de algunas de ellas.

LA EDITORA

MERCEDES ETREROS

Es doctora en Filología Románica y Catedrática de Lengua y Literatura de Instituto de Bachillerato desde 1976. Ha publicado estudios sobre autores y temas de los siglos XVII (Cervantes, Quevedo), XIX ("El naturalismo español en la década de 1881-1991") y XX (Valle-Inclán), así como varios trabajos didácticos de Lengua y Literatura para Bachillerato, una edición de obras inéditas de Cortés Osorio o el libro *La sátira política en el siglo XVII.*

ESTE LIBRO SE TERMINÓ DE IMPRIMIR
EL DÍA 10 DE NOVIEMBRE DE 2011